RONDA

POR

JOSE PAEZ CARRASCOSA

COLABORARON

PROLOGO: D. Gonzalo Huesa Lope

FOTOGRAFIAS: D. J. Agustín Núñez (Edilux)

DIBUJOS: D. Cayetano Arroyo

Para todos, mi sincero
agradecimiento.
EL AUTOR

RONDA EDITORIAL
ISBN: 84-604-6023-1
DEPOSITO LEGAL: GR-617-1995
FOTOMECANICA: Franacolor, S.L.
IMPRIME: Copartgraf (Granada)

Textos, Dibujos y Fotografías
Propiedad del autor
Prohibida su reproducción total o parcial

DEDICATORIA

A mi amada esposa e hijos

PROLOGO

No es, ciertamente, tarea fácil hacer sencillo lo complejo, asequible lo ex traordinario, o manejable la grandiosidad. Y sin embargo, amable lector, es ése, según mi entender, el mayor acierto del libro que estás a punto de leer.

La hermosa complejidad de naturaleza, historia y arte que Ronda encierra, la extraordinaria riqueza de hitos que la geología y el devenir humano han ido volcando sobre ella; la grandiosidad de su emplazamiento geográfico o de sus maravillas humanas, todo te lo ha puesto el autor al alcance de la mano en forma sencilla, asequible y manejable.

Mucho, variado y erudito habrás oído o leído sobre esta «Ciudad de los Encantos», porque es mucho, muy variado y muy erudito cuanto de ella se ha dicho o escrito. Ella lo merece. Su envidiable emplazamiento en el centro geográfico del circo de montañas de la serranía, su inaccesibilidad y aislamiento seculares, sus respuestas de luz y diafanidad a los reclamos del sol en el amanecer o en los atardeceres primaverales u otoñales, la sobriedad señorial de sus monumentos, todo ha contribuido a la formación de las leyendas que aureolan esta «Ciudad de Ensueño» creada para soñar, para gozar, para vivir.

El autor lo sabe y ha querido ofrecerte algo singular y distinto. No ha querido que leas. Ha querido que hables. No ha querido que escuches. Ha querido que dialogues. No ha querido que estés mudo. Ha querido que converses. De eso se trata: de que no seas un simple lector pasivo de cuanto te dice, sino de que te conviertas en su compañero de viaje, ameno y locuaz, en tu visita a la «Ciudad de las Maravillas».

El contenido del libro tiene la autenticidad de la historia, el encanto de la leyenda y la cálida caricia de la sensibilidad ante lo bello. Su forma, sus palabras, las encontrarás familiares, cordiales, coloquiales, como para andar por casa. Llenas de amistad y simpatía. Lee y verás que has adquirido un nuevo amigo con quien conversar de temas nobles y agradables.

Es lo que te deseo. Que el diálogo te resulte vivo, grato, encantador. Ello hará que tu visita a Ronda se te haga inolvidable. ¡Feliz lectura!

Gonzalo Huesa Lope

⇦ Foto Kurt Hielscher - 1918

Vicente Espinel. Foto Cuso

INTRODUCCION

Yo, señor, soy de Ronda, reina y señora de su serranía, protegida por sus montes y picachos como la niña mimada, por mandato del Creador. Situada en una altiplanicie a 780 m. de altitud al sudoeste de la provincia de Málaga, nos observa y vigila como la fortaleza natural más inexpugnable en esta parte de España.

—*¿La más inexpugnable?*

¿No me cree? Venga conmigo a nuestro Puente y, desde él, verá la verdad de lo que le digo y la belleza que hasta ahora se ha perdido.

Mire allí, por donde el sol se pone. ¿Ve allí aquellos azules picachos? Pues aquellos son la sierra de San Cristóbal y la sierra de Grazalema, la primera cosa que ve todo aquél que viene de América en barco. Están a 1640 m. de altitud, son unos de los lugares con mayor pluviosidad de toda la península y actualmente reserva natural de pinsapos y rapaces.

Pero no se distraiga, mire a su izquierda. Aquélla es la sierra Perdiguera, por allí va la carretera de Algeciras hacia Gibraltar, tierra de contrabandistas y bandoleros, de corazones perdidos y esperanzas robadas.

¡Qué me dice Vd! ¿qué no ha oído hablar de los Contrabandistas y Bandoleros de Ronda?, pero, ¿Vd. dónde ha estado metido? ¿No ha oído hablar de José María el «Tempranillo» o de «Pasos Largos»...? Pues mire. Todavía hay señores en Ronda, que le pueden decir las veces que han ido a ese lugar para venirse cargados hacia Ronda y pueden decirle también que ir a Gibraltar a caballo era un paseo agradable; con un buen conocedor del camino y levantándose de madrugada, en diez horas estaban allí y, después de comer algo y descansar en La Línea, tomando el camino de vuelta, llegaban aquí de madrugada.

Pero Vd. no se distraiga. Venga al otro lado del Puente por donde el sol nos muestra sus primeros rayos. ¿No ha visto un amanecer o una puesta del sol en Ronda? ¡Lástima! ¡lo que se ha perdido! Pero no se preocupe, eso tiene fácil remedio...

Mire, aquéllas son las sierras de Melequetín, Hidalga, Oreganal y sierra de las Nieves. Aquel punto es el más alto de la provincia de Málaga, la Torrecilla, de 1919 m. de altitud.

En los días claros, desde este punto se logra ver toda la Costa del Sol.

En dicha sierra de las Nieves hay una especie árborea llamada Pinsapo Abies Boissier, variedad botánica exclusiva de este lugar y de los Urales, en Rusia, aunque también hay algunos ejemplares en la sierra de Gredos, cerca de Madrid.

—Tiene razón, he oído decir que es una planta de la era terciaria.

Ahora, mire hacia abajo, ¿qué le parece?, maravilloso, ¿verdad?

Amigo, no hay nada más bonito que este Tajo con su río Guadalevín al fondo ciñéndose a los costados de la piedra, cual torrente de impetuoso curso en invierno.

—¿Qué significa Guadalevín?

En realidad significa «Río profundo», aunque otras versiones lo traducen como el «Río de la leche».

—Y ¿el río ha cavado el Tajo?

Bien, algo hay de eso. El Tajo ha sido formado por la erosión del río. La desigualdad en la dureza de la piedra, conformada por sedimentos terciarios cuyo elementos miocénicos de estratos conglomerados y areniscas, poco resistentes, han facilitado al Wadi al-laban socavar en sus entrañas las abruptas bellezas de su garganta.

El río tiene bastante caudal que aumenta grandemente cuando llueve, ya que nace en la sierra de las Nieves y recoge, cerca de Ronda, las aguas de los arroyos de la Toma y de las Culebras; más abajo, en el valle, se le une el río Guadalcobacín para continuar posteriormente su curso en el río Guadiaro.

—En invierno debe dar miedo pasar el Puente, ¿no?

¿Que si hace frío en invierno? Tiene Vd. razón. En invierno hace frío y suele nevar en las montañas, pero nuestro clima es sanísimo y, además,el invierno es corto. Pero ¿qué me dice Vd. del verano?

Los veranos son maravillosos. Sí, hace calor algunos días de agosto; pero cuando el sol se pone, la temperatura es tan agradable, que hace olvidar esas pocas horas de calorcillo que, al fin, es lo que se espera del verano.

De todas formas, este calor es seco y Ronda es de lo más sano que puede encontrar: sin contaminación y sin nada molesto y, además con unas primaveras y unos otoños que son de envidiar por muchos.

—¿Y de qué vive la ciudad de Ronda?

Ronda, como ciudad principal de la serranía es el centro comercial de la misma, teniendo una selección de comercios, que no tienen nada que envidiar, ni en calidad, ni en precios, a los de las mejores ciudades.

Además, cuenta con la elaboración de los productos del cerdo, siendo mundialmente famosos sus chorizos y jamones.

Es muy importante en la ciudad la fabricación artesana del mueble castellano, en maderas de calidad como el castaño o el nogal.

Hoy día se han montado varias fábricas de queso que aprovechan la rica leche de cabra y oveja que da nuestra serranía y algunas fábricas de confección.

Finalmente, la agricultura completa la enumaración de sus recursos.

—Dígame Vd., ¿porqué ha dicho que Ronda era una ciudad inexpugnable?

No me llame de Vd., que en Ronda todo el mundo es amigo.

Vd. me dirá si es, o no, inexpugnable.

En su parte norte está la garganta con 100 m. de altura; en la parte del parque tiene 170 m.; por el oeste continúa con las mismas características y precipicios, llegándose a unir a través de las murallas con la vieja alcazaba en su parte sur. Allí están las puertas principales de Ronda: la puerta de Almocábar y la de Carlos I. La primera es del siglo XIII y daba acceso a la alcazaba y la segunda, construida en el siglo XVI, tiene las armas de la Casa de los Austrias.

Estas puertas daban acceso a la alcazaba de la ciudad de Ronda y estaban tan bien fortificadas, porque esta parte sur es el único acceso natural de esta ciudad. Continúa por su parte éste con dobles murallas y las puertas de la Exijara y la de Felipe V, para continuar de nuevo con el Tajo.

¿Qué me dice Vd. de cómo estaba fortificada la ciudad de Ronda? ¿Verdad que era inaccesible?

—Una ciudad así tendrá una rica historia ¿no?

La tiene, y en sus muros y casas ha quedado plasmada una buena parte de ella. Pero permítame que, primero, le cuente sus líneas generales. Después, me acompañará Vd. por sus rincones y plazas, por sus puertas y calles y entre rejas y sombras, sus piedras nos revivirán 3.000 años de historia.

Aniya la Gitana - Pintura Miguel Martín

BREVE HISTORIA
de la muy noble y leal ciudad de Ronda

Los orígenes de la ciudad de Ronda se remontan a los Celtas Bástulos, que la denominaron Arunda, aunque fueran sus terrenos anteriormente recorridos por el hombre prehistórico, como lo demuestran los monumentos megalíticos de «Los Arenosos» o la cueva de «La Pileta», con pinturas del paleolítico y cerámicas del neolítico o las recientes excavaciones en el casco antiguo corroborando asentamientos continuos desde el neolítico hasta nuestros días.

Con los fenicios, Ronda tuvo poca relación comercial ya que éstos, a su llegada a nuestra tierra, encontraron cerca de Arunda, una aldea de fundación Ibera, denominada Acinipo. Allí se asentaron y mejoraron sus construcciones. Para ellos, éste era el sitio ideal con vistas a sus fines comerciales con el interior del país, por estar situada Acinipo a la misma distancia de Málaga y Cádiz, también colonias fenicias.

Los griegos bordean nuestra serranía buscando una ruta en su tráfico con Tartessos y para alejarse de la zona de influencia púnica. Arunda se convirtió en colonia griega con la denominación de Runda.

—¿Y podría decirme qué significa Arunda y Acinipo?

Pues mire, Arunda significa «Rodeada de Montañas», y Acinipo, «Tierra de Vino».

En el siglo II a. de J. los romanos entran en la península y expulsan a los cartagineses. Inmediatamente nuestra ciudad, aprovechando su emplazamiento, es convertida en fortaleza, fundándose en ella el Castillo del Laurel. Acinipo se convierte en ciudad, llegando a ser municipio, con poderes para acuñar monedas y, más tarde, sus vecinos a tener los mismos derechos que cualquier ciudadano de la imperial Roma.

Sertorio, en su guerra contra Pompeyo, destruyó la ciudad de Ronda, a la que cambia el nombre por Munda.

En el año 45 a. de J. se construye en Munda un templo para conmemorar la victoria de Cayo Julio César sobre Cneo y Sexto, hijos de Pompeyo. De dicho templo le hablaré en nuestra visita a Sta. María.

Y así, la denominación romana transcurre con la asimilación de su cultura y costumbres por parte de los nativos, pero manteniendo su condición de emplazamiento natural y su privilegiada situación junto al cruce de calzadas romanas, provenientes de Cádiz (por Zahara) y de Gibraltar (por el valle del Guadiaro) hacia el El Burgo e Iluro.

Con la invasión de suevos, vándalos, alanos y más tarde visigodos, tanto Munda como Acinipo fueron destruidas y saqueadas. Pero el rey godo Atanagildo pide ayuda a Justiniano emperador de los bizantinos en contra de Agila. Este es recompensado con la costa sudeste española creando la provincia de Orospeda, la cual incluía Ronda.

Los griegos bizantinos buscan en nuestras tierras el lugar donde sus antecesores tuvieron Runda. Descubren las ruinas de Acinipo y de Runda y viendo en mejores condiciones a la primera, además de agradarles más su emplazamiento, se instalan en ella y la llaman Runda; el poblado sería recuperado de nuevo por los visigodos en tiempo de Suintila.

Por eso, por tradición se llama a Acinipo «Ronda la Vieja».

Ya después del año 711, bajo dominación árabe es cuando Ronda viene a tomar el lugar que le corresponde en la historia de España, llegando a ser una de las ciudades y fortalezas más importante del sur de España.

Al ser invadida nuestra tierra se encuentran las ruinas del Castillo del Laurel y de la ciudad de Munda, por lo cual deciden construir sobre sus ruinas la ciudad que sería denominada Izna-Rand-Onda, la ciudad del castillo, punto principal de comunicación y unión de la capital del Califato con los territorios africanos.

Bajo gobierno Omeya, Ronda se convirtió en capital de un Waliato o Kura, provincia con el nombre de Tacoronna, que comprendía todas las tierras de estas montañas, pasando de ser un simple castillo a una gran ciudad.

En esta época se construyeron edificios muy importantes como mezquitas, palacios, etc. Se refuerzan sus murallas y defensas. En la parte sur se le abrió una puerta principal, la puerta de Almocábar, y en su parte este la puerta de la Exijara, comunicando el arrabal viejo con la Medina.

En el año 854 nace cerca de nuestra ciudad, en el pueblo de Parauta, Umar-Ben-Hafsun.

De origen noble godo-cristiano, mantendría en jaque durante el período del 899 al 917, el poderío de los Omeyas.

Aprovechando el descontento de los cristianos por el abuso de los musulmanes, se pone al frente de un gran ejército de mozárabes sublevándose contra las tropas musulmanas y llegando a dominar su poderío por amplias regiones del sur de España.

Eligió por cuartel general un lugar conocido por Bobastro, situado entre el valle de Abdalagis, Ardales y Alora, aquí en la provincia de Málaga. El valor y la fama de este rondeño se extiende más y más viendo como cada día se unen a su ejército numerosos voluntarios deseosos de libertad e independencia para sus vidas, religión y tierras.

Abd-Al-Rahman III trató de vencerlo, sin lograrlo, ya que Umar murió, invencible, en su lecho, en el castillo de Bobastro en el año 917. Diez años más siguieron la guerra los descendientes de Umar-Ben-Hafsum hasta ser derrotados por el califa de Córdoba, que destruye totalmente la obra de Umar.

Es de elogiar el intento de Umar de lograr la independencia de nuestras tierras, ya que dominó toda la provincia de Málaga; parte de Cádiz con Algeciras, parte de las provincias de Granada y Almería, avanzando también contra la provincia de Córdoba y conquistando la ciudad de Cabra en su camino hacia la capital del Califato.

Con la desaparición del Califato de Córdoba a principio del siglo XI, aparecen los reinos de Taifas.

Ronda se convierte bajo la dinastía bereber de los Banu-Ifrán, en capital de uno de ellos, regida por Abu-Nur que la gobierna en paz y prosperidad durante 39 años. Se fundan nuevos pueblos en su serranía y mejoran sus edificios e industrias.

Ya en este período el reino de Ronda es codiciado, tanto por los reyes de Málaga, como por el de Sevilla. Este último, Mothadir, de Sevilla, asesina en un banquete a Abu-Nasar, hijo y sucesor de Abur-Nur. Muerto el rey rondeño, Mothadir incorpora al reino de Sevilla el reino de Izna-Rand y todos sus territorios en el año 1059.

Con la invasión de los almorávides (guerreros de las tribus de Atlas) el nombre de nuestra ciudad, Izna-Rand, es cambiado por el de Madinat Runda, siendo gobernada por ellos durante 71 años, hasta que fueron expulsados por los almohades.

Durante la dominación de éstos, Madinat Runda perteneció unas veces a Africa y otras al reino de Granada, cambiando de aliados y enemigos con extraordinaria facilidad, hasta que los almohades son vencidos, finalmente, en la batalla de las Navas de Tolosa.

Las crónicas de los reyes de Castilla nos dicen que en esta época los moros de Ronda, eran los más arrojados y valientes en esta tierra de moros.

Alfonso XI nos relata cómo destruyó tierras y viñedos en Ronda, Antequera y Archidona en espera de debilitar a sus enemigos por falta de alimentos. El rey castellano luchó cuatro días en esta campaña en nuestras tierras, hasta que tuvo que abandonar por falta de abastecimientos.

Asustado el rey de Granada Ismail III en el año 1314 por el avance de las fuerzas cristianas de Alfonso XI, solicita ayuda de los benimerines africanos, que le es prestada por el Sultán de Marruecos Abul Hassan, el cual manda a su hijo Abomelic.

Llegado éste, se nombra rey de Ronda, Algeciras y Gibraltar, convirtiéndose Ronda en capital de sus dominios.

En esta época nuestra ciudad aumentó su prosperidad y esplendor, construyéndose edificios importantes como el puente y la alhama en el arrabal viejo, la escalera de la Mina con 360 escalones, hecha en la roca viva que abastecía de agua a la población desde el fondo del Tajo, o los molinos de aceite y harina para el abastecimiento de la ciudad.

Muerto Abomelic en la batalla de Alberito por las tropas de Alfonso XI, es más tarde incorporada al reino de Granada.

En esta época Ronda y su serranía toman gran importancia en la historia de la Reconquista, siendo codiciada por todos debido a su situación fronteriza entre los reinos conquistados por los cristianos y el reino nazarita de Granada, cambiando de aliados y enemigos con extraordinaria facilidad, siendo combatida tanto desde Granada como desde la cristiana Baja Andalucía y, sobre todo, a partir del siglo XIII, cuando el estrecho de Gibraltar se convierte en un problema de supervivencia.

En 1359 fue depuesto Mohamed V de Granada por su hermano Ismael, y éste a su vez, por Abul Said Alhamar «El Bermejo». Mohamed se refugia y pide asilo en Fez y los benimerines le ceden Ronda. Restaurado en el trono granadino, con la ayuda cristiana, nuestra ciudad es incorporada al reino nazarí.

Durante el siglo XV, Ronda viene a menos por los ataques furiosos de los cristianos.

En el 1407 después de la conquista del pueblo de Zahara, el infante Don Fernando manda a su comandante en jefe D. Ruíz López Dávalos con 2.000 lanceros con la esperanza de conquistar Ronda.

Pero era demasiado fuerte y bien guardada con muchos defensores y el invierno estaba cerca.

La conquista de la ciudad no fue posible hasta la subida de los Reyes Católicos al trono de Aragón y Castilla. Ellos deciden terminar de una vez con la dominación árabe en España. Preparada meticulosamente por Fernando el Católico la conquista del Algarbe malagueño al oeste de la provincia, lo consigue totalmente en la campaña de 1485, con la conquista de Ronda el 22 de mayo del mismo año.

El 15 de abril de 1485, el rey deja Córdoba y marcha hacia Puente Genil y el día 19 ya tiene situadas sus posiciones en Cártama, Coín y Benamaqués.

Hamet el Zegrí, gobernador de Ronda y jefe de la tribu de su nombre, deja la ciudad de Ronda para defender los pueblos asediados por Fernando el Católico.

Pese a su bravura y esfuerzo, el 27 de abril, cae Coín, e igual ocurre con Cártama el día siguiente.

Conquistado todo el valle de Cártama, llegan las tropas cristianas hasta la mismas puertas de la ciudad de Málaga, a donde Hamet el Zegrí logra llegar con refuerzos y salvarla eventualmente.

El día 5 de mayo, el marqués de Cádiz, se dirige a la conquista de la ciudad de Ronda, acompañado de D. Pedro Enrique con 3.000 caballos y 8.000 soldados de a pie.

El rey Fernando, se dirige hacia Antequera y Archidona, sitiando la ciudad de Loja para distraer a las tropas de Málaga. Manda al mismo tiempo a la artillería por el camino de Cártama y Coín, hacia Teba, donde debía reunirse todo el ejército para la conquista de la ciudad de Ronda, en la cual el marqués de Cádiz, venía de adelantado.

Toda esta estrategia era necesaria para poder conquistar la inexpugnable ciudad de Ronda.

El 11 de mayo de 1485, llegó a oídos del gobernador de Ronda, Hamet el Zegrí, que la verdadera intención de los ejércitos cristianos no era la conquista de Ronda, sino que, simulando los asedios a Ronda y Loja para distraer a sus tropas, un segundo ejército cristiano marcharía a la conquista final de la ciudad de Málaga, que como es lógico estaría mal guardada.

Llegado el día 12 de mayo y visto por Hamet el Zegrí acampar cerca de Ronda el ejército cristiano no duda un momento de las noticias llegadas a él. Prepara a su ejército y marcha a la defensa de Málaga, nombrando gobernador, en su ausencia, a Abraham al Haquim.

El día 13 se ordena el sitio de la ciudad de Ronda, siendo el total de su ejército 9.000 caballos y 20.000 soldados, quedando en retaguardia, en caso de que fuese necesario, 4.000 caballos y 5.000 soldados más de infantería.

Inmensa fue la rabia de Hamet el Zegrí, cuando, camino de Málaga, se enteró del cerco de Ronda, decide volver con todo su ejército, e intenta romper muchas veces los reales cristianos, siendo inútiles todos sus empeños.

Cerrose el círculo en torno a la ciudad y el día 14 se ordena el ataque a la misma.

Uno de los factores más decisivos que aceleraron su caída fue el uso masivo de la artillería. Se distribuyó en tres puntos. El primero, apuntando a la torre ochavada del castillo; el segundo, a las murallas bajas de la puerta de Almocábar y el tercero, en la parte este de la ciudad desde las alturas de los Tejares, dominando totalmente toda la ciudad. Cabe destacar que en la conquista de Ronda se utilizaron lombardas como ingenio bélico de artillería.

Después de siete días de duro asedio, y sin abastecimiento de agua, pues el marqués de Cádiz había cortado el abastecimiento a la ciudad, es abierta una brecha en la torre ochavada, cayendo más tarde desplomada. «Eran tantos y tan continuos los tiros que hacía la artillería, que los moros que guardaban la Cibda, a gran pena se oían unos a otros, ni tenían lugar de dormir, ni sabían a qué parte socorrer, porque las lombardas derribaban muros y casas».

Enmedio de la batalla, el alférez Alonso Yáñez Fajardo con la espada en una

Vista
Panorámica

Amanecer

Sunrise

Alba

L'aube

Sonnenaufgang

Puerta de Felipe V ⇨

Gate of Phillip V

Porta di Filippo V

Arc de Felipe V

Tor Philipp V

⇦

Murallas y Puerta de Almocábar

Fortress and Almocábar Gate

Mura e Porta di Almocábar

Murs et Porte de Almocábar

Stadtmauern und Almocábar Tor

CALLE
SANTA CECILIA

Ciudad de las Maravillas

City of Wonders

Cittá delle Meraviglie

Ville des
Merveilles

Stadt der
Wundern

Ciudad de los Encantos — Enchanting City — Cittá di Incanti

Casa del Rey Moro 

Ville Enchanteresse

Stadt des Zaubers

Ciudad de los Ensueños City of Dreams Cittá dei Sogni Ville des Rêves Stadt der Träume

Ciudad Soñada   Dream City   Cittá Sognata   Ville Rêvées   Geträumte Stadt

Judería

Jewish
Quarter

Quartiere
Ebraico

Quartier
Juif

Judisichen
Stadtviertel

Minarete
de
San Sebastián

Minaret of
San Sebastian

Minareto di
S. Sebastiano

Minaret
de San
Sebastian

Minarett
von
San Sebastian

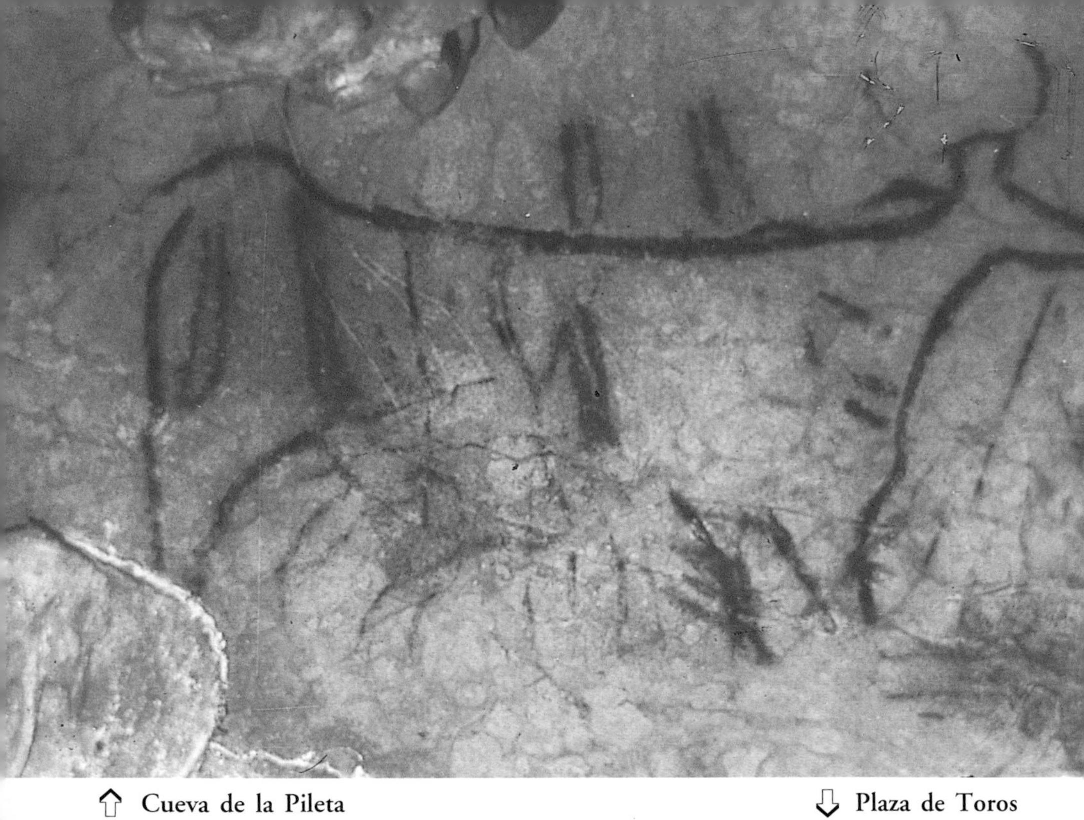

⇧ Cueva de la Pileta ⇩ Plaza de Toros

Foto Marcelino Pajares

mano y el estandarte de la cruz en la otra, después de muchos esfuerzos, logra colocar el estandarte sobre las ruinas de la torre. Esto da mayor brío a las tropas cristianas en su lucha, descorazonando a los moros, que huyen refugiándose en la alcazaba.

El gobernador, cuando ve la situación desesperada enarbola la bandera blanca, rindiendo la ciudad.

Visto esto por Hamet el Zegrí que durante 10 días trató de romper el cerco desesperadamente, ciego de coraje y rabia, se vuelve con los suyos hacia la ciudad de Málaga en cuya defensa moriría en 1487, no sin antes maldecir a los defensores de la ciudad de Ronda, acusarlos de traidores y llorar por la pérdida de su querida ciudad, florón del reino de Granada.

El rey Fernando aceptó parlamentar, y ordenó cesar toda hostilidad, concediéndoles a los vencidos la vida y sólo la propiedad de los muebles.

De las mazmorras y cárceles salieron los cautivos cristianos medio muertos y extenuados. La mayoría de ellos habían sido hechos prisioneros en la batalla de la Axarquía, en un número aproximado de 400. Dióseles alimentos y ropas y fueron enviados a Córdoba, para ser recibidos por la reina Isabel. Seguidamente se les envió a los lugares elegidos por ellos. Para conmemorar este hecho, la reina Isabel mandó colgar delante de la iglesia de San Juan de Toledo las cadenas con que habían estado prisioneros.

¡Baldón, baldón para los cobardes muslimes, para los traidores a sus hermanos, para los que deshonran a su patria! ¡Oh Ronda mía! ¡Oh desgraciada! ¿Por qué incauto salí por tu puerta de Almocábar?

La mayoría de la población musulmana se marchó a los pueblos de la sierra bajo el gobierno de los cristianos. Otros marcharon a Africa y las personalidades más importantes a la provincia de Sevilla, a Alcalá de Guadaira, donde se les dió casas y propiedades.

Colocados los estandartes de la iglesia católica, el de las cruzadas y el del rey de Castilla en la torre del homenaje del castillo, el día 24 de mayo, el rey Fernando V de Aragón entra triunfalmente en la ciudad de Ronda.

La antigua mezquita fue convertida y consagrada al culto cristiano bajo la advocación de Santa María de la Encarnación, de la cual la reina Isabel era gran devota.

Se cantó en ella un solemne Te Deum y, volviendo a las ruinas de la torre ochavada, mandó el rey Fernando construir una iglesia bajo la advocación del Espíritu Santo, pues la conquista de Ronda coincidió ese año en la Pascua de Pentecostés.

Deseoso el rey de reunirse con la reina, que esperaba impaciente en la ciudad de Córdoba, marchó a ella entrando triunfalmente, habiendo dejado antes como gobernador de la ciudad de Ronda al conde de Ribadeo, D. Pedro de Villandrado.

Tras la conquista de Ronda, se efectuó un reparto de tierras entre los nobles y caballeros que habían participado en la conquista de la ciudad. Se le dió a ésta, con fecha del día 25 de julio de 1485 en Córdoba, la facultad de regirse por las mismas leyes y fueros que tenían las ciudades de Sevilla y Toledo y los símbolos de sus casas reales, consistentes en: Un yugo dorado con sus coyundas cortadas y flechas de plata en campo colorado.

Ronda se convirtió en señorío del príncipe D. Juan, hijo de los Reyes Católicos, que casó con Margarita de Austria quien, al morir éste, quedó con el señorío de esta ciudad.

En el 1499, marcha la princesa Margarita a Flandes y ya por entonces empiezan las irregularidades en la honrada administración de la ciudad, viniéndose a aumentar considerablemente los impuestos que gravaban sobre los productos que llegaban a esta ciudad para alimentarla. En tales circunstancias, los abastecedores decidieron quedarse a las afueras de la ciudad, formando unos pequeños mercados, que fueron los orígenes de los actuales barrios del Mercadillo y de San Francisco.

Con el tiempo, el barrio de San Francisco se convertiría en barrio agricultor y el Mercadillo seguiría aumentando su población, hasta llegar a la población actual, construida en la parte norte del Tajo.

Debido a la sublevación de los moriscos en nuestra serranía y en la sierra de Granada, por no haber sido totalmente cumplidas las capitulaciones concertadas en la conquista de Granada entre el rey Boadil y el rey D. Fernando, Ronda se convierte en el centro de las fuerzas expedicionarias que intentan someter a los sublevados, pero después del descalabro sufrido por D. Alonso de Aguilar, hermano del Gran Capitán, a manos de los moriscos y en tal estado de cosas, los Reyes Católicos vienen a Ronda y se hospedan en el palacio hoy conocido con el nombre de palacio de Mondragón.

La serranía estaría unas veces en paz y, otras amenazada por los moriscos, hasta que finalmente, en 1609, por orden real de Felipe III, estos son definitivamente expulsados de España.

Hechos importantes van forjando nuestra historia.

Tras el levantamiento de las Comunidades Castellanas, las ciudades andaluzas más importantes, se reunen en La Rambla, provincia de Córdoba, para decidir la actitud de cada una frente a los hechos comuneros. Ronda permanece fiel al rey Carlos I. Las resultas de aquella reunión, del 17 de febrero de 1521, llegan a manos del rey quien al escuchar la lealtad de nuestra ciudad hacia su persona, exclamó: «Oh, Ronda fiel y fuerte», lema que figura como orla en el escudo que nos concedieran los Reyes Católicos, y que el propio emperador nos ratificó por carta con fecha 26 de Septiembre del mismo año.

Continúa la vida en Ronda. Se elige patrono, del cual carecía, a San Cristóbal; la calle Larga o del comercio, hoy Armiñán, se convierte en calle principal. Se construyen asilos, hospitales y en el Mercadillo: tiendas, posadas y mesones.

Son estos siglos XVI y XVII los que van configurando a nuestra querida Ronda, tal y como la conocemos actualmente. La parte principal, Madina, aunque ya empieza a llamarse «La Ciudad»; el Barrio Alto que desde ahora será el Barrio del Espíritu Santo; o el Bajo, donde, abandonado por sus vecinos, se instalan en él, las mancebías, las curtidurías e industrias, bajo el nombre de San Miguel y la advocación de la Santa Cruz. Los nuevos barrios del Mercadillo y San Francisco, serán símbolos de un nuevo desarrollo y de una nueva sociedad.

Más tarde, después de muchos años, cabe resaltar que Ronda se opone heróicamente a la invasión francesa, pues sus serranos son gente que no se dejan doblegar fácilmente.

No obstante, el día 10 de febrero de 1810 entra en Ronda, José Bonaparte, hospedándose en la casa del marqués de Moctezuma.

Durante el tiempo que los franceses permanecen en Ronda se suceden numerosos actos de resistencia por parte de los rondeños que, a toda costa, tratan de expulsar a los invasores. Finalmente consiguen vencerlos, siendo un serrano el que dio muerte al general francés Boussain, de un tiro, en las afueras de Ronda.

A la salida de los invasores de nuestra ciudad, éstos destruyen el viejo Alcázar y otros monumentos artísticos de gran valor.

Pedro Romero. Foto Cuso

VISITA

Y ahora que conoce un poco de nuestra historia, empecemos nuestra visita aquí mismo.

Esta es la PLAZA DE ESPAÑA. En ella puede Vd. ver el edificio, con arcos y porches, de la antigua Casa Consistorial. Data del 1843, aunque le hago saber que ya el Excmo. Ayuntamiento está situado en el antiguo Cuartel de Milicias, en la plaza de la Ciudad.

En el centro de la plaza tiene Vd. un busto de D. Antonio Ríos Rosas, ilustre rondeño que llegó a ser ministro y presidente del Congreso en 1862. Se distinguió por su honradez y gran elocuencia. El resto de los edificios, como Vd. ve, hacen juego con el edificio central de la plaza.

Bien, pues vayamos ahora por la calle Villanueva, aquí a la derecha. En ella puede ver algunas casas de finales del siglo XVIII, con las clásicas ventanas de rejas rondeñas.

Torzamos a la derecha, por la calle Los Remedios, para entrar en la calle de La Mina.

Vamos a pasar a LOS JARDINES.

Venga aquí, hacia la derecha, para que pueda ver el Tajo en su plenitud, y el puente desde sus cimientos.

Este es el PUENTE NUEVO, «el Puente de Ronda». Y le llamo así como le llama todo el mundo, porque en realidad éste es el monumento que simboliza a la ciudad de Ronda en todas partes.

Contemplar esta obra maestra, uniendo el Tajo por una de sus partes más profunda, pero menos distantes, es algo que impresiona, provocando placer y temor a un mismo tiempo.

Fue construido por D. Juan Martín Aldehuela, arquitecto aragonés del pueblo de Manzanera, provincia de Teruel.

Empezó esta obra en el año 1751 sobre los cimientos de otro puente.

Fue auxiliado por maestros de esta ciudad, entre los cuales destacan D. Juan Antonio Díaz Machuca, cuya maquinaria, inventada por él para este menester, admiró a todos los ingenieros que vinieron a ver estos trabajos.

—¿Qué me dice de la maquinaria creada por este maestro?

Pues, que este señor, que era rondeño, inventó varias máquinas y aparatos, con los cuales, y con la ayuda de 3 ó 4 hombres, se podía bajar en un día el material suficiente para ser empleado por 200 hombres en una semana.

Las obras se acabaron en el año 1793, lo que quiere decir que se invirtieron 42 años en su construcción. Es de 98 m. de altura y está construido totalmente en sillares de piedra.

Arrancan sus cimientos del fondo de la garganta. Está formado, en su parte inferior por un pequeño arco, sobre el que se alza un arco central con dos arcos laterales más pequeños.

En la parte central del Puente hay una habitación, antes utilizada como cárcel, cuya entrada se hacía por ese edificio cuadrado de la parte derecha, que era la torre de la guardia.

Mire, desde aquí puede ver perfectamente, tanto en la parte derecha como en la izquierda del puente, los restos de los cimientos y pilares del puente anterior.

Se construyó en el 1735, y constaba de un solo arco. Estuvo en pie solamente cinco años.

—¿Yo he oído que el arquitecto del Puente se suicidó terminada la obra, para no construir nada igual en su vida?

Mire, esa historia es muy romántica y tiene varias variantes, pero debe saber que D. Juan Martín Aldehuela, falleció en Málaga, donde descansan sus restos, en una parroquia de esa ciudad.

Mire, aquí, detrás de nosotros, tiene Vd. una placa que la ciudad de Ronda dedica a su ciudad hermana: Cuenca. Esas casas construidas al mismo borde del precipicio las llamamos nosotros las «Casas colgadas del Tajo».

Ronda tiene gran parecido, por su emplazamiento, con la ciudad de Cuenca.

—Y ¿qué es ese edificio antiguo, enfrente de nosotros?

Ese es el CONVENTO DE SANTO DOMINGO, mandado construir

"Una mujer fue la causa de mi perdición primera".

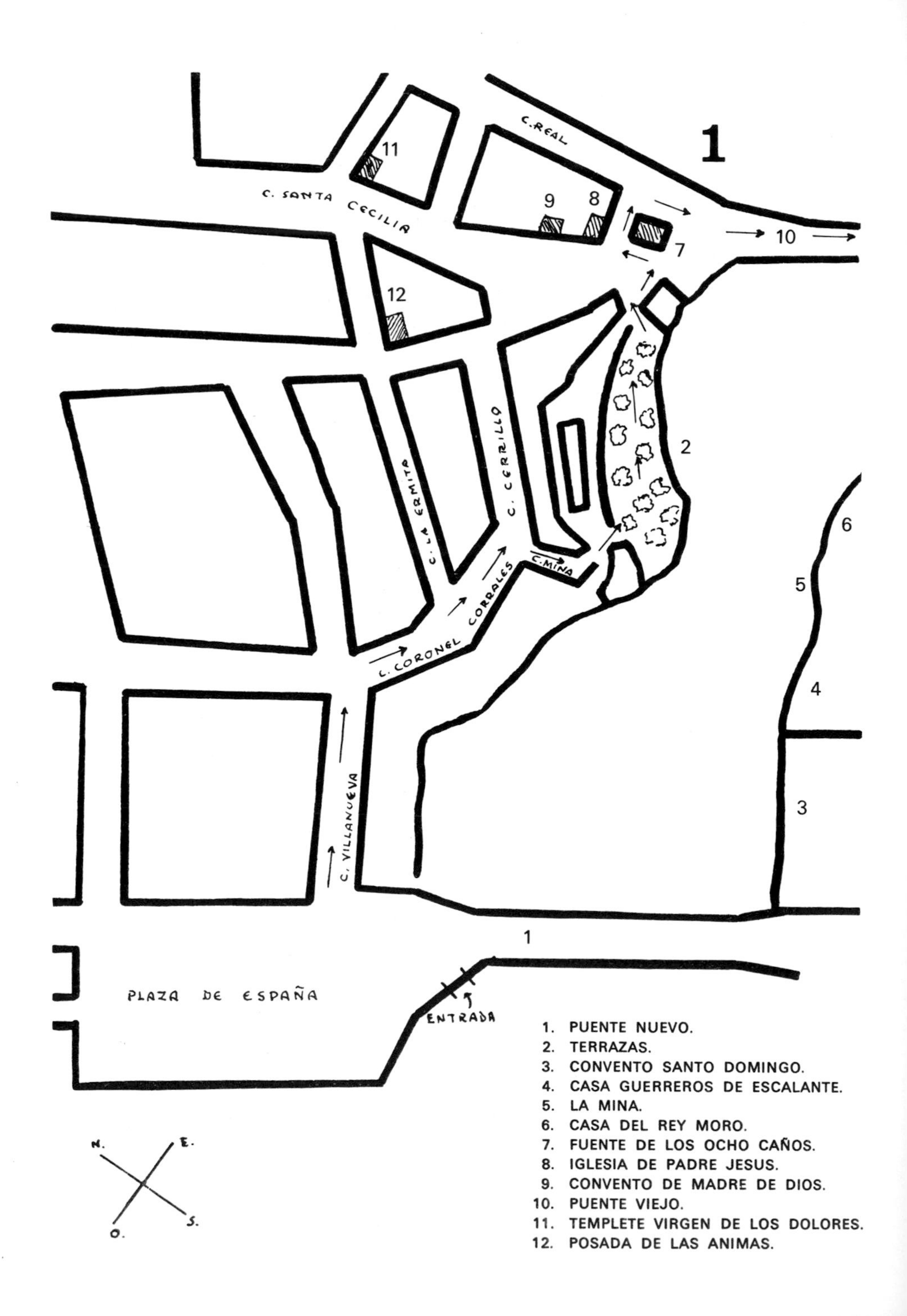
1
C. REAL
C. SANTA CECILIA
11
9
8
7
10
12
2
C. LA ERMITA
C. CERRILLO
C. MINA
6
5
C. CORONEL CORRALES
4
C. VILLANUEVA
3
1
PLAZA DE ESPAÑA
ENTRADA
1. PUENTE NUEVO.
2. TERRAZAS.
3. CONVENTO SANTO DOMINGO.
4. CASA GUERREROS DE ESCALANTE.
5. LA MINA.
6. CASA DEL REY MORO.
7. FUENTE DE LOS OCHO CAÑOS.
8. IGLESIA DE PADRE JESUS.
9. CONVENTO DE MADRE DE DIOS.
10. PUENTE VIEJO.
11. TEMPLETE VIRGEN DE LOS DOLORES.
12. POSADA DE LAS ANIMAS.
N.
E.
O.
S.

por orden de los Reyes Católicos. Cuando estuvo concluido, se entregó el patronato de su Capilla y Convento a los frailes dominicos. Del edificio original queda solamente la iglesia, aunque sin culto, y resto del claustro. Su iglesia tiene la entrada por la llamada cuesta de Sto. Domingo, al final del Puente, a la izquierda. Consta de tres naves, con una elevada media naranja, un artesonado precioso, de estilo mudéjar y coro.

Un edificio que tras ser abandonado por los frailes en la desamorotización, fue el primer mercado cubierto que tuvo Ronda, siendo dedicado, posteriormente, a otros usos.

En este convento estuvo el tribunal de la Sta. Inquisición.

Cabe añadir que en esta misma iglesia estaba el mausoleo con los restos de D. José de Moctezuma y Rojas, y los de su esposa.

Fue mandado construir por él, en vida, a sus expensas y bajo su dirección, y ocupó lo que era entonces la capilla del Rosario.

—¡Qué casas más bonitas se ven desde aquí!

Tiene razón, es la parte noreste de la ciudad, y desde estas terrazas el conjunto que ofrecen es una maravilla.

Estas terrazas son de reciente construcción. Hechas por el Ayuntamiento, volcado desde hace años en el embellecimiento y mejora de la ciudad. Con ellas se ha facilitado muchísimo la contemplación y realce de esta parte del Tajo y de la ciudad, además de la vista sin par del puente, de los restos del convento de Santo Domingo y de la Casa de los Guerrero de Escalante, hoy conocida por CASA DE LOS CONDES DE SANTA POLA.

—¿Cuál? ¿Esa con ventanas y arcos árabes?

Como puede ver es casa de porte solariego, con muchos vestigios árabes, construida sobre los restos de un morabito. Como Vd. sabe un morabito, en realidad, era la sepultura de un árabe notable tanto en su vida, como por sus virtudes, lo que llamaríamos un Santón.

En su portada se puede ver un gran escudo heráldico de los Guerrero de Escalante.

Pero sigamos hacia abajo. Mire desde este rincón saliente la vista del PUENTE VIEJO y de la garganta.

A ese puente en algunas reseñas se le designa con los nombres de árabe, e incluso con el de romano.

Es un deber aclararle que esta obra se reconstruyó en el año 1616, sobre los cimientos de otro anterior de origen árabe..

Consta de un solo arco de 10 m. de diámetro por 31 m. de altura sobre el nivel del río y tiene 30 m. de longitud por 5 m. de ancho.

En él había una inscripción hasta finales del siglo pasado, que nos la ha transmitido D. José Moreti y que yo le voy a reproducir para testificar estos datos.

Decía así:

Ronda reedificó esta obra
siendo su corregidor, con la
de Marbella, D. Juan Antonio
Turubio de Quiñones, por el
rey nuestro Sr. año 1616.

¿Qué le parece la vista que se disfruta desde aquí?

—Preciosa, pero dígame ¿que es esa casa pintada en ocre y de aspecto tan señorial?

Esa es la llamada CASA DEL REY MORO.

—¡Ah! ésa es la casa con los restos de la entrada a los baños de una sultana, construida por los árabes.

Mire, vamos a dejarnos de florituras, romanticismos y de leyenda y vamos a la verdad.

Ese edificio no fue construido para baños de sultanas, ni para nada de eso, que lo único que esto hace es aumentar la fantasía y desviarnos de la verdad.

La Mina sí fue construída por Abomelic allá a principios del siglo XIV, como edificio militar. Ronda en el siglo XIV como capital del reino de los benimerines en esta parte de España que incluía también a Gibraltar, era la fortaleza natural más importante de todo el sur de la península.

La escalera se construyó en la roca viva, protegida en parte por muros de ladrillos y adobes, con algunos huecos y ventanas, por donde recibe luz, y varias habitaciones o ensanchamientos, como mazmorras, donde dormían los prisioneros. Toda la escalera está abovedada y construida a tramos. Se puede deducir de su visita que realmente tiene un origen militar.

En tiempo de asedios, luchas y guerras civiles, los árabes solían formar una cadena humana con esclavos cristianos, subiendo el agua desde el fondo del río para abastecimiento de la ciudad. Dicha escalera está bien camuflada y en el interior de sus paredes se pueden ver marcas y señales hechas por los esclavos que en ella trabajaron.

Hay un proverbio sobre la escalera, que dice:

«En Ronda mueras acarreando zaques».

Durante la conquista de Ronda fue descubierta por el marquès de Cádiz y custodiada para que no fuese punto de escape.

—Pero dígame: si durante sequías o bloqueos del río, no se podía tomar agua de éste, ¿para qué se quería dicha Mina?

Mire, ahí enfrente de la puerta de salida, en el fondo del Tajo, hay un manantial que hoy día abastece a Ronda y que antiguamente corría río abajo directamente hacia la puerta de entrada de la Mina. Ahora bien, esta escalera está en la puerta trasera de la llamada Casa del Rey Moro, justamente frente por frente del manantial.

Esta casa es mal llamada Casa del Rey Moro. De la Mina nos hablan el historiador Hernán del Pulgar al tratar la conquista de Ronda y nuestro compatriota Vicente Espinel en «La vida del escudero Marcos de Obregón», que se refiere a ella como uno de los más importantes restos de la dominación árabe en España. Pero la casa, salvo algunos posibles vestigios árabes en sus jardines, data de primeros del siglo XVIII y restaurada a principios del presente siglo.

Su fachada tiene un azulejo que representa a un rey árabe, tal vez a Abomelic, en posición hierática. Sus balcones son de forja rondeña, con algunos azulejos sevillanos, todo de principios de este siglo, como acabo de decirle.

Ahora bien, esta casa es tan conocida en el mundo, como lo pueda ser el Tajo o el Puente. Gentes de todo el mundo se interesan por ella y esa fama se la debe a Doña Trinidad Schultz, duquesa de Parcent.

Esta señora de gran belleza e inteligencia, compró la casa a Mr. Perrin, de Baltimore, Estados Unidos, a principios de siglo

La enriqueció con los mejores muebles, pinturas, cerámicas y decoraciones, que trajo de todo el mundo. La hizo visitar por las familias más importante de su época y dio realce a Ronda, tanto con su casa como por las artes locales, que ayudó y trató de hacer resurgir de nuevo.

Pero cierto sector rondeño no estaba de acuerdo con sus ideas y le hizo sufrir algunas vejaciones. La última gota que colmó el vaso, fue un ataúd con sus iniciales, aparecido en la plaza de su nombre, enmedio del jardín construido con su dinero. Esta actitud le hizo vender la casa a Alejandro Mackinley, nieto del presidente americano, y dejar Ronda con gran pesar de su corazón.

Esta señora, de origen malagueño, casó con D. Manuel de Iturbe, llamado virrey de Méjico por su inmensa fortuna. De este matrimonio nació Doña Piedad Iturbe, que casó con el príncipe Hohenlohe, primo de Guillermo II el Káiser, padres de D. Alfonso Hohenlohe. Después la duquesa casó con el duque de Parcent, de donde, a su muerte, le quedó el título de duquesa viuda de Parcent.

Pero prosigamos, que el tiempo no pasa en balde. Estamos ahora bajando la calle de la Mina, cuya reciente pavimentación es reproducción del estilo callejero rondeño.

Mire qué plaza más bonita.

Aquí empezó EL MERCADILLO.

—*¿El Mercadillo?*

Sí señor, para nosotros la ciudad nueva, la construída en el lado norte del Tajo, es «El Mercadillo».

—*¿Y por qué?*

Mire, son realmente interesantes sus comienzos y se los voy a contar, para que vea que, en esta ciudad, incluso los nombres y las cosas sencillas son historia.

Cuando Doña Margarita de Austria, viuda de D. Juan, dejó Ronda para marchar a Flandes en el 1499, la administración y gobierno de Ronda sufrieron un gran cambio. Las alcabalas y derechos que se exigían en las puertas de Ronda retraían a los vendedores de artículos de todas clases. Estos, en vez de traer sus productos a los lugares habituales, los dejaban en los llanos, a las puertas de la ciudad, tanto en la principal, Almocábar, como en la zona del Ejido o Puerta de la Puente.

Fueron inútiles las repetidas disposiciones de las autoridades para cortar estos abusos que, en realidad, fueron los que dieron origen al comercio y ferias que habían de dar tanta importancia a la ciudad de Ronda.

En la parte sur de la ciudad, frente a su puerta principal, la de Almocábar, en el llano de entrada, estaba la ermita de la Visitación. Esta recibió en su contorno unas cien barracas o tiendas donde empezaron a hospedare los comerciantes para ahorrarse los derechos de entrada a la ciudad.

Por el afán de copiar o emular a los otros, los comerciantes aposentados en el Ejido de la puente, o sea, donde estamos ahora, erigieron una capilla que la denominaron de Sta. Cecilia, y que más tarde pasó a la categoría de parroquia, hoy día de PADRE JESUS. Esta imagen y la de la Virgen de los Dolores gozan de gran devoción en la ciudad de Ronda.

La fachada es gótica, aunque en su campanario se observan influencias renacentistas, habiendo tenido varias reformas, siendo la última la que nos muestra el edificio actual, del año 1755.

La iglesia no es muy espaciosa, pero está bien distribuida, dividida en tres naves separadas por dos columnas de ladrillos, y dos columnas adosadas en cada lado, con capiteles de orlas de flores en relieve. Estas columnas sostienen los seis arcos que forman la nave del centro, con un bello artesonado mudéjar.

En esta iglesia fueron bautizados rondeños notables que se distinguieron, unos en las letras, como Vicente Espinel, otros en la política, como Ríos Rosas, o en los toros, como Cayetano Ordóñez «Niño de la Palma».

La plaza, junto con la calle Real, ha sido hasta mediados de siglo pasado el centro comercial de Ronda. En ella está la FUENTE DE LOS OCHO CAÑOS, que es, en su parte anterior, fuente pública para los habitantes del barrio. Es una fuente sencilla, con ocho caños -de donde le viene el nombre-, con una gran pilar detrás, para abrevar las caballerías.

No se sabe en qué época fue construida, pero los trazos de la estructura actual nos muestra haber sido construida o bien restaurada en tiempos de Carlos III. Es la fuente de más tipismo y sabor de Ronda; tiene el escudo de la ciudad con el yugo y las flechas.

Junto a la iglesia de Padre Jesús está el CONVENTO DE MADRE DE DIOS, que es uno de los rincones más bonito de Ronda.

Está construido en un estilo mudéjar restaurado recientemente y convertido en colegio nacional para niñas. De este convento, que data de mediados del siglo XVI, se conserva su iglesia con un altar barroco dorado y su patio principal. Subiendo al primer piso se puede ver un arco precioso en mosaicos y ladrillos que da entrada a la librería.

De aquí, si le parece, volvamos al PUENTE VIEJO, donde continuaremos nuestra visita, y permítame que le enseñe el tercer puente.

Aquel puente que está en el fondo, al final de la garganta, es el más pequeño y es otro puente árabe, aunque todos le llamen el puente romano.

Fue construido bajo dominación árabe a principios del siglo XIV. Ha sido dañado por las crecidas del río Guadalevín y por esto ha tenido que ser restaurado en su totalidad.

Es pequeño y parece sin importancia, pero debe saber que era la entrada principal de Ronda por el arrabal viejo, juntamente con la puerta de la Exijara, recién descubierta y restaurada, y cuyos restos puede Vd. ver allá al fondo, en las murallas.

—*¿Qué son esas ruinas al fondo, detrás del puente?*

Esos son los BAÑOS ARABES.

El edificio fue propiedad de la duquesa de Parcent, vendido posteriormente al Sr. Zini Vito, uno de los pioneros del turismo en Ronda. Fue él quien descubrió, más bien por casualidad, esos restos de los baños que vamos a ver ahora mismo.

Descubiertos éstos, como le digo, por el Sr. Zini Vito, al hundírsele el suelo de una granja que estaba montando, pasó inmediatamente a su redescubrimiento, ya que los baños estaban cubiertos totalmente de arena, piedras y objetos debido a las crecidas del río.

Viendo la Dirección General de Bellas Artes la importancia de dicho edificio, indemnizó a dicho señor por todos los trabajos y esfuerzos, tomando los trabajos bajo su dirección.

Estos baños son uno de los mejor conservados y más interesantes de toda España, aunque hayan perdido los ricos materiales de mármol, yeserías y mosaicos, con los que los árabes solían recubrir estos edificios.

Fueron construidos, aproximadamente, a finales del siglo XIII y principios del XIV.

Constan los baños de tres salas fácilmente reconocibles por sus usos y estructura.

En la primera se pueden ver restos, muy bien restaurados por la Dirección General de Bellas Artes, de la chimenea para salida de humos y aire caliente y restos de la caldera para calentar el agua que venía de la noria por canales. En

Cuando el pueblo andaluz llora, canta.

El Autor

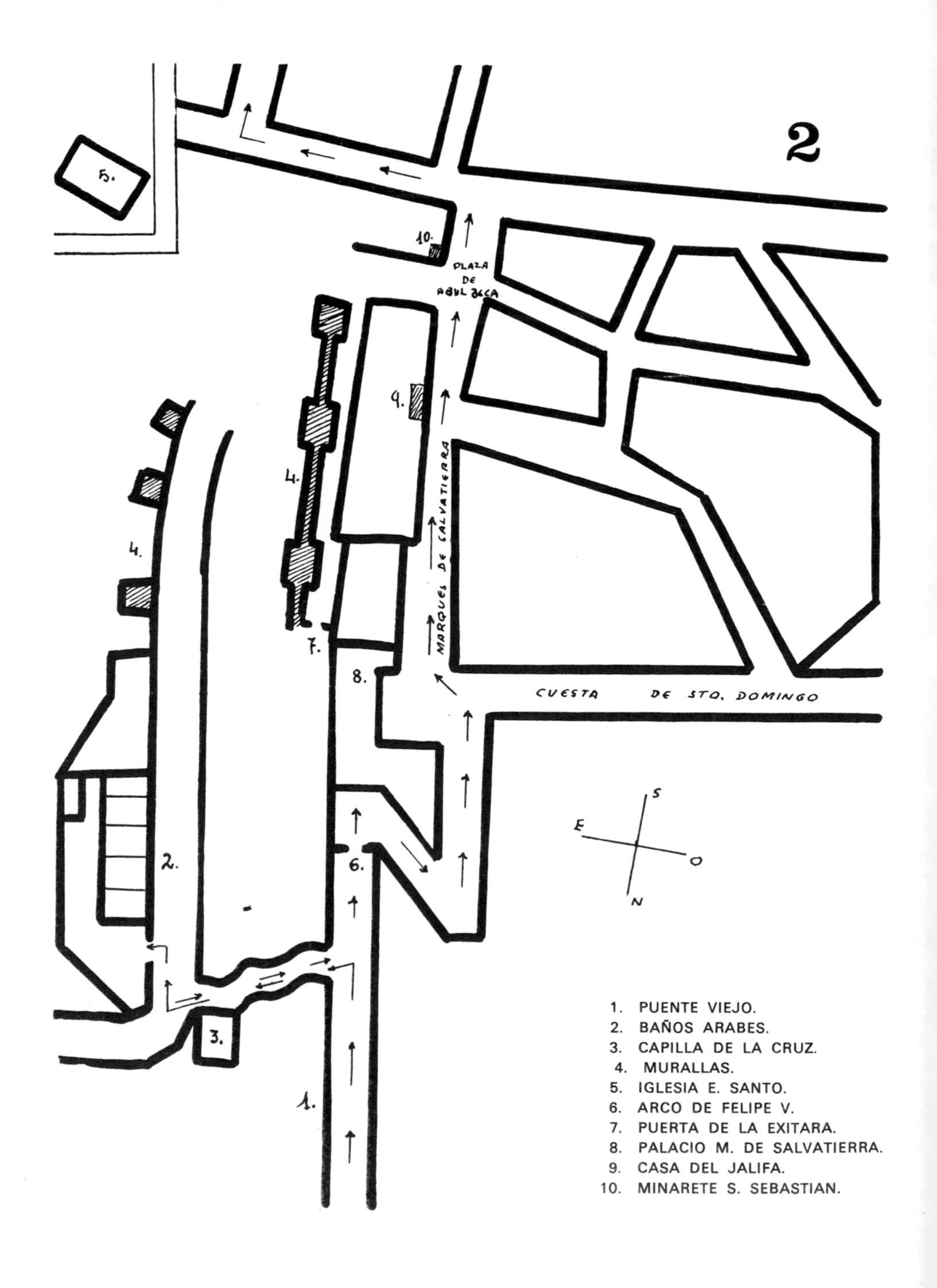
2
5.
10.
PLAZA
DE
ABUL
9.
4.
4.
7.
8.
MARQUES DE SALVATIERRA
CUESTA DE STO. DOMINGO
S
E
O
N
2.
6.
3.
1.
1. PUENTE VIEJO.
2. BAÑOS ARABES.
3. CAPILLA DE LA CRUZ.
4. MURALLAS.
5. IGLESIA E. SANTO.
6. ARCO DE FELIPE V.
7. PUERTA DE LA EXITARA.
8. PALACIO M. DE SALVATIERRA.
9. CASA DEL JALIFA.
10. MINARETE S. SEBASTIAN.

⇧ Convento de Sta. Isabel de los Angeles ⇩ Santa María La Mayor

Casita de la Torre - Sta María

Mirhab

⇦ Exterior. Sta. María

Interior. Sta. María

⇧

Virgen de los Dolores. Sta. María

Fachadas Casas Rondeñas

Tipical Façades

Case Rondeñe

Façades Tipiques

Typische Häuser

Rejas y Sombras   Grills and Shadows   Inferriate ed Ombre   Ombres et Grilles

Eisengittern und Schatten

esta habitación se pueden ver aún los conductos por donde pasaba el vapor a la sala central.

Esta segunda sala está divida a su vez en tres naves, cubierta por bóvedas sobre arcos de herradura de ladrillo. Algunos de estos arcos y sus capiteles han sido restaurados; pero hay otros muy interesantes, por ejemplo, un capitel romano muy erosionado por el tiempo, de gran valor que junto a las cúpulas laterales obliga a detenerse para contemplar más detenidamente esta sala.

De esta habitación pasamos a la tercera, que era sala de relajamiento y masajes.

Pasando a través de una puerta, recién descubierta, se encuentra una alberca o fuente: sin sus recubrimientos originales, sino en ladrillos a canto visto, muy bien conservados; que pudo haber servido para las abluciones antes de entrar en el edificio principal.

Estos baños estuvieron rodeados de diferentes edificios e industrias, cuyo valor arqueológico aumenta por día, ya que siguen los trabajos de excavación.

¿Le gustó? Mire hacia arriba y vea nuestras MURALLAS restauradas y los restos de la puerta de la EXIJARA: es de la que le hablé antes; pero véalo mejor desde la noria que es ese edificio a mayor altura, allá al fondo, en la esquina.

Las ciudades árabes importantes estaban fortificadas de una manera triple, como esta ciudad. Ronda estaba fortificada con tres murallas cuyos restos puede usted ver perfectamente: desde aquí abajo le dan un gran sabor castrense.

De la primera son esos torreones que ve usted a continuación de los baños; de la segunda, esas murallas principales y arriba estaban las casas fortificadas que eran como una tercera muralla. Entre los restos de las murallas primera y segunda estaba el arrabal viejo y parte de la judería. Este barrio fue desapareciendo, ya conquistada la ciudad de Ronda por los Reyes Católicos, pues en esta zona se albergaban judíos y mudéjares que solían ayudar a sus hermanos de religión refugiados en la montañas, haciéndoles de noche mucho más fácil la entrada a la ciudad, para sus fines de saqueos y aprovisionamiento.

—¿Qué es este edificio que parece una capilla o una ermita?

Cierto, es la capilla de la SANTA CRUZ. En esta ermita se daba culto a la Santa Cruz por los dueños, maestros y trabajadores de las fábricas de curtidos, ollerías y otras que había en este lugar y que han desaparecido. Ultimamente ha sido restaurada por la Dirección General de Arquitectura.

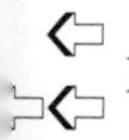

Bueno, pues ahora, a subir la cuesta y a descansar en la PUERTA DE FELIPE V.

Aquí, a su derecha, tiene usted una lápida en la que se lee que esta puerta, se construyó durante el reinado de Felipe V, en el año 1742.

Se ha podido comprobar que cuando se reconstruyó el puente viejo en 1616, había una puerta denominada la puerta de la Puente, hasta que en 1742, al dársele la estructura actual, se le cambió el nombre por el de puerta de Felipe V.

Sigamos hacia arriba. Deléitese con esta subida tan amena y placentera por la belleza de sus calles y casas.

Aquí tiene usted el PALACIO DEL MARQUES DE SALVATIERRA.

Fue reconstruido a finales del siglo XVIII y desde entonces data la actual estructura. Construido en el lugar de algunas casas árabes, pertenece a los marqueses de Salvatierra y de Parada, que vienen a ocuparlo en diferentes ocasiones al año.

Además del valor artístico e histórico que el edificio conserva en su interior, cuya entrada, aunque es propiedad privada, está permitida, tiene una fachada magnífica de estilo barroco con dobles columnas corintias en los laterales, con algunos soles en el dintel de la puerta. Sobre éste hay un balcón precioso con forja rondeña, que se hace con hierro forjado o hierro cortado.

En la parte superior de la fachada se pueden observar cuatro figuras de indios incas peruanos que revelan la influencia colonial. Tienen unas posturas muy simpáticas pues la primera es una chica que trata de ocultar tímidamente su desnudez, y el segundo es un chico que como buen pícaro, saca la lengua en plan de burla. Las figuras del otro lado presentan las mismas características.

En la parte superior, en el centro, el escudo de la familia.

Si le parece bien, sigamos hacia arriba por la calle del marqués de Salvatierra.

—Sí, lo que Vd. diga.

Mire qué calles con más sabor y qué pintorescas.

—¿La mayoría de estas casas están siendo restauradas?

Sí, pero todas bajo la Dirección General de Arquitectura, para que no pierdan ni rompan la estructura de este barrio.

Mire esta casa a la izquierda, con esos dos escudos de armas, es la CASA DEL JALIFA.

—*¿Del jalifa?*

Sí, aquí el último jalifa de Tetuán, cuando Marruecos estaba bajo el protectorado español, educó a sus hijos y mantuvo a su familia.

Bueno, la cuesta se ha terminado y vamos a descansar unos minutos en esta plaza llamada de ABUL-BECA, en memoria del famoso poeta árabe nacido en Ronda en el siglo XIII.

Aquí tenemos el MINARETE DE SAN SEBASTIAN llamado así porque la mezquita que ocupaba este lugar hasta la conquista de Ronda fue convertida en iglesia bajo la advocación de San Sebastián.

De dicha mezquita y de dicha iglesia nos ha quedado solamente la torre del minarete. Construido en el siglo XIV por los nazaritas. Ha sido restaurado recientemente, observándose en él algunos restos ornamentales y construcciones mudéjares.

En su parte baja se puede ver un bonito arco de herradura y el entrelazado de los ladrillos y, en su decoración, algunos restos de la cerámica verde que decoraba originalmente toda la torre.

Seguimos por la calle de Armiñán abajo, y llegamos torciendo a la derecha a la PLAZA DE LA DUQUESA DE PARCENT.

Esta es la antigua plaza de armas de Ronda. Es una de las plazas más característica de la ciudad. Lugar de justas y torneos, tiene hoy en su centro, rodeado de jardines, un busto del insigne rondeño Vicente Espinel, escritor, poeta y músico, además de censor y crítico de libros. Fue amigo de Lope de Vega y Miguel de Cervantes, teniendo con este último frecuentes charlas durante su estancia en la ciudad de Ronda, en la cual, Miguel de Cervantes,se hospedó en la posada de las Animas, hoy día Hogar del Pensionista. La faceta de músico en Vicente Espinel es desconocida de muchos; pero fue buen músico, que añadió la quinta cuerda, la llamada prima a la guitarra española.

En esta plaza, de derecha a izquierda, tenemos primero la IGLESIA DE LA CARIDAD, del siglo XVI. Fundada por el rondeño Pedro de Miranda para que sirviese de enterramiento a los ajusticiados y difuntos no conocidos, hoy está ocupada por las Hermanitas de la Cruz. Existía a la vuelta de este edificio la casa de recogimiento y hospedaje para pobres transeuntes.

Más a la izquierda, la iglesia y convento de SANTA ISABEL DE LOS ANGELES, de religiosas clarisas, construido a mediados del siglo XVI.

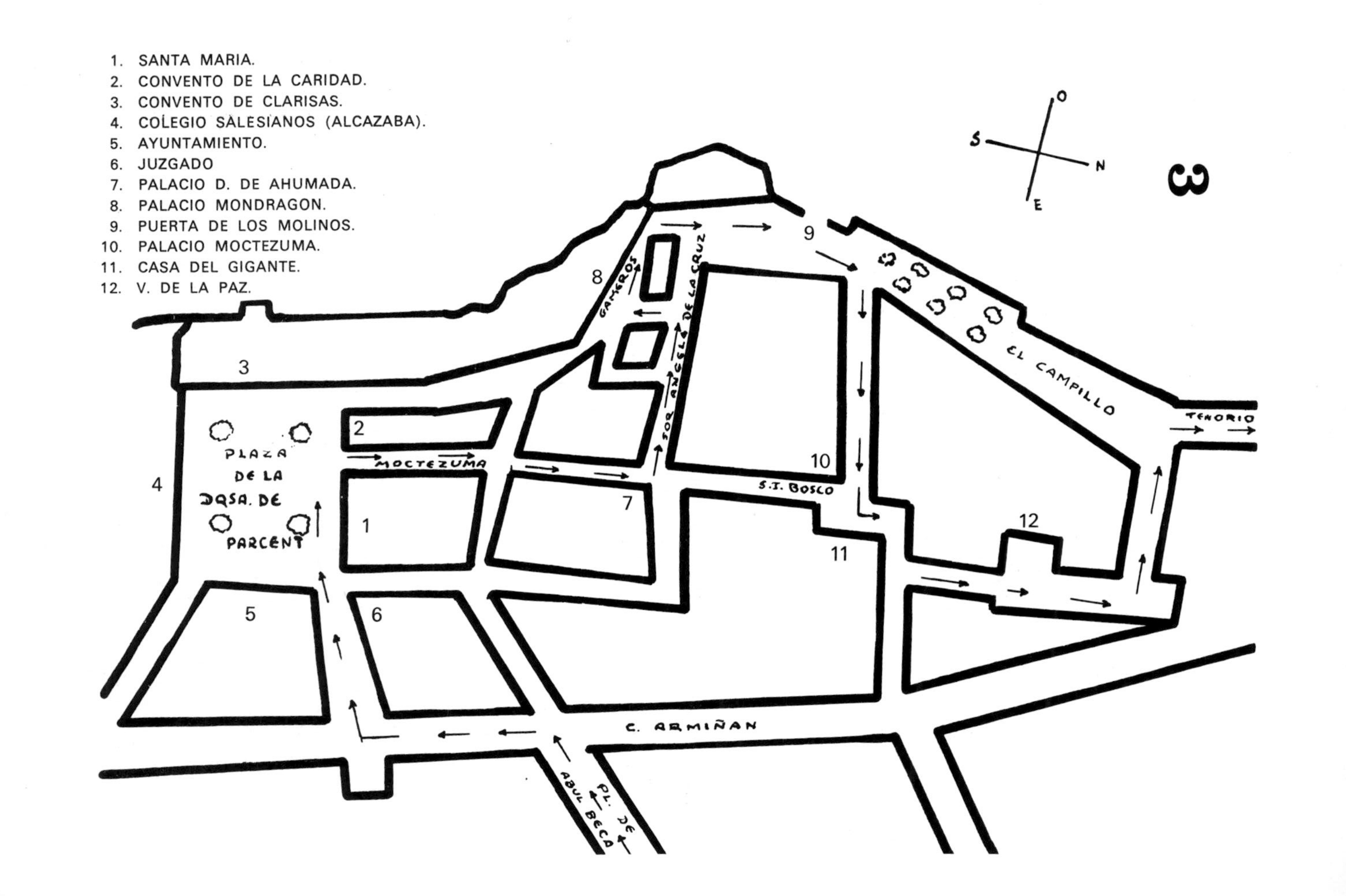
3
S
N
O
E
1. SANTA MARIA.
2. CONVENTO DE LA CARIDAD.
3. CONVENTO DE CLARISAS.
4. COLEGIO SALESIANOS (ALCAZABA).
5. AYUNTAMIENTO.
6. JUZGADO
7. PALACIO D. DE AHUMADA.
8. PALACIO MONDRAGON.
9. PUERTA DE LOS MOLINOS.
10. PALACIO MOCTEZUMA.
11. CASA DEL GIGANTE.
12. V. DE LA PAZ.
PLAZA DE LA DQSA. DE PARCENT
MOCTEZUMA
GAMEROS
SOR ANGELA DE LA CRUZ
S.T. BOSCO
EL CAMPILLO
TENORIO
C. ARMIÑAN
PL. DE ABUL BECA
1
2
3
4
5
6
7
8
9
10
11
12

Orson Wells. Foto Cuso. Año 1964

Enfrente de la catedral, al otro lado del jardín, estuvo situado el CASTILLO DEL LAUREL bajo la dominación romana, convertido en alcazaba por los árabes.

En el año de 1812, el 26 de agosto, fue dinamitado por los franceses a su salida de Ronda; creyendo que volverían, pensaron que así no encontrarían ninguna resistencia una vez destruidos todos los proyectiles, pólvora y bombas almacenadas en este lugar para ser utilizados por los españoles en su defensa.

Como usted recordará, Ronda como fortaleza natural estaba muy protegida por la mano de Dios que la defendió con barrancos y gargantas; pero tenía, y tiene, un acceso natural en su parte sur y esta parte sur, está exactamente detrás de los restos de dicho castillo del Laurel. Aquí se encontraba su puerta principal, la puerta de Almocábar. Una segunda puerta, que daba acceso a la alcazaba, era la puerta de las Imágenes que también desapareció en dicha explosión.

Desde la parte sur de la ciudad se pueden ver, y mucho mejor desde la cuesta de las Imágenes, restos de murallas y torreones, de lo que se llama aún hoy día «El Castillo».

Es un colegio regido por religiosos de la congregación salesiana, Fundación Moctezuma, que prometió y consiguió traer a Ronda a agustinos y salesianos. Inicialmente, los salesianos ocuparon la casa solariega del marqués, hoy Santa Teresa. Al marchar los agustinos, se ocuparon también de la dirección del Castillo.

Siguiendo con los edificios de la plaza nos encontramos con el ANTIGUO CUARTEL DE MILICIAS.

Este edificio se construyó en 1651, según se puede leer en la inscripción recientemente descubierta en su fachada; se restauró en 1734 y de nuevo en 1818, siendo en esta época cuando se le cambió su entrada y sufrió el edificio una gran transformación.

Este edificio tiene en su parte posterior, que da a la calle Armiñán, uno de los locales más antiguos que se conservan en Ronda. Eran la antigua alhóndiga y su parte baja, los silos para el grano.

Ha sido recientemente restaurado por la Dirección General de Arquitectura para Casa Consistorial, tratándose de conservar la belleza original del edificio, añadiéndole otras, como un artesonado mudéjar del siglo XVI, donado por la condesa de Santa Pola, heredera directa de los Guerrero de

Escalante, que no ha podido elegir lugar mejor para su conservación, que la cúpula de entrada de nuestra casa Consistorial.

—Díme, veo en su fachada el escudo de Ronda, pero el de la izquierda ¿de dónde es?

El de la izquierda es el de la ciudad de Cuenca, ciudad hermanada con Ronda, por acuerdo de ambos municipios en 1975.

El edificio blanco y con las armas de los Reyes Católicos en su fachada es el edificio que alberga los juzgados; fue la primera Casa Consistorial, siguiendo las normas establecidas por los Reyes Catolicos para el buen gobierno de sus reinos y señoríos. Según la leyenda, contraria a la realidad histórica, este es el edificio donde habría vivido Doña Margarita de Austria, señora de este principado y esposa de Don Juan, hijo de los Reyes Catolicos, heredero de la corona, que no llegó a ocupar por haber muerto siendo estudiante en Salamanca.

Este edificio ha tenido diferentes usos después de la marcha de Doña Margarita a su tierra de Flandes, llegando a nuestros días como Juzgado.

—Mira, en relación con ésto, quería explicarte algo que tal vez desconoces. Así descansas un poco, porque la verdad es, que no paras de hablar.

—¿Sabes desde cuándo el color negro representa en España el luto y dolor de las familias por la pérdida de algún ser querido?

Pues no, la verdad, no lo sé.

—Los Reyes Católicos sintieron tanto dolor y pena a la pérdida de su hijo Don Juan, que cambiaron a nivel nacional el tradicional color blanco indicativo de luto y dolor por el negro.

Muy interesante, gracias.

Bueno, ahora tenemos frente a nosotros uno de los monumentos más importantes de esta ciudad.

SANTA MARIA LA MAYOR es bonita por dentro y por fuera, e interesante y oculta a la vez.

Su fachada nos habla por sí misma del edificio, de su historia y de su belleza. Distinta de las fachadas de iglesias y catedrales, a las que estamos acostumbrados, la torre, que se divisa desde todas partes de la ciudad, nos habla con sus características y trazos de todas las alteraciones y construcciones que este edificio ha sufrido con el tiempo. Torre mudéjar construída sobre la base de un minarete está rematada por un precioso campanario renacentista.

En su parte derecha hay unas preciosas balconadas construídas en el reinado de Felipe III, para ser palcos desde donde la nobleza y autoridades de la ciudad de Ronda pudieran contemplar las justas, corridas de toros y otros actos públicos.

Entrando por la puerta pequeña de la torre, a la derecha, se pasa a una habitación donde se encuentran los restos del arco del Mirhab de la mezquita, decorado con inscripciones y arabescos de la dinastía nazarita, que nos recuerdan el oratorio de la Alhambra de Granada.

Esta mezquita se construyó a finales del siglo XIII y principios del XIV.

Pasamos al interior y nos encontramos que el edificio es mayor de lo que todos nos esperamos desde el exterior.

La historia nos habla de este edificio y nos muestra cuán importante ha sido a través de los siglos.

Construído en la parte más alta de la ciudad. Nos dice que estuvo emplazado en este lugar un templo romano construído en memoria de Julio César, del que nada conservamos excepto los posibles cimientos del edificio y una placa de la que hasta poco, los historiadores hacían referencia en donde se podía leer IULIO DIVO MUNICIPES para conmemorar la victoria de Julio César sobre los hijos de Pompeyo, Cneo y Sexto en la batalla de Munda en el año 45 a. de J.

Estos mismos muros debieron ser utilizados para construir posteriormente la mezquita mayor, que luego sería la iglesia principal en la ciudad de Ronda.

La mezquita se convirtió en iglesia bajo la advocación de Santa María de la Encarnación, de quien la reina Isabel era muy devota.

El rey Fernando le otorgó categoría de abadía. Tenía honores y rezos como los estipulados para las catedrales y su cabildo, tenía facultad para nombrar a los párrocos de Ronda, Arriate, Cuevas del Becerro y Serrato, todo esto hasta el Concordato del 1851 en que fue reducida a parroquia denominada Mayor.

El edificio en sí consta de dos estilos arquitectónicos bien diferenciados.

La parte sur es gótico tardío de finales del siglo XV y en el lateral derecho influencia renacentista, restauración que sufrió después del terremoto acaecido en esta ciudad y que dañó sus edificios más importantes en el año 1580.

Aquí tenemos el altar del Sagrario, precioso barroco de finales del XVIII, con numerosos motivos decorativos de racimos, columnas salomónicas, grecas, etc., dorado con panes de oro y policromado en su parte inferior. Tiene las imágenes de la Inmaculada y de Santa Ana con la Virgen Niña. A la izquierda, un altar churriguerresco también de finales del XVIII, antiguo altar relicario, tiene una Dolorosa de La Roldana.

A la derecha del altar del Sagrario, un fresco de San Cristóbal, pintado en 1798 por el rondeño José de Ramos, que nos recuerda las grandes pinturas de este Santo, existentes en las catedrales españolas de Sevilla, Toledo, etc.

En el centro de la iglesia el coro, separándola en dos.

El coro es de autores desconocidos. Se terminó en 1736 en estilo plateresco, siendo su sillería baja en nogal con motivos bíblicos y el resto en madera de cedro, con tallas muy buenas de santos y apóstoles.

Del órgano, construído en 1710, sólo queda una de las dos cajas, existentes anteriormente en esta iglesia.

En el centro hay una facistol de nogal, de talla local, con cuatro libros de canto gregoriano que existen aún hoy día en la iglesia. Son libros de coro del siglo XVII, en pergamino, iluminados y policromados, de gran valor y méritos artísticos.

En las pechinas de las cúpulas de esta parte de la iglesia se pueden ver, recientemente restaurados, motivos de las letanías lauretanas.

Después del terremoto de 1580, en que se derrumbaron las partes norte y oeste de la iglesia, surgió la idea de ampliarla.

Se construye una iglesia, réplica de la catedral de Granada, en estilo renacentista, con columnas corintias y toscanas, empleándose en su construcción desde 1584 al 1704.

Esta parte de la iglesia consta de tres naves. Tiene en el centro una bóveda con cuatro medallones, que representan a los evangelistas. Está sostenida por cuatro grandes columnas, dos de estilo corintio con grandes cornisas y las otras dos en estilo toscano. Tiene cuatro grandes puertas de entrada. En el 1727 se construye el altar mayor, obra de Esteban de Salas y el presbiterio. Al año siguiente, el púlpito en mármol de Carrara.

Tengo que explicarte que el altar principal, de Esteban de Salas, fue destruido en 1936. Para ocupar este lugar vacío en sitio tan preferente de la iglesia, se trajo parte del altar lateral del Sagrado Corazón de Jesús, que es el que ocupa su lugar hoy día.

Este altar, que si fue secundario, hoy es principal, está tallado en pino rojo y atrae la atención de todos los visitantes pues su talla es magnífica.

En forma de templete, realizado a finales del siglo XVIII en madera de pino rojo por artistas desconocidos, aunque su trabajo se atribuye a unos monjes. Es interesante observar algunos de sus detalles en filigrana que dan personalidad única a esta magnífica obra.

En su parte derecha está la entrada a la sacristía, donde se pueden ver los restos del tesoro de la iglesia, con otros ocho libros de canto gregoriano, casullas de los siglos XVII y XVIII, mesa en mármol para revestirse los sacerdotes, y algunos documentos referentes a la iglesia.

Si tomamos por el callejón inmediato a la catedral, entramos en la calle Moctezuma. En esta zona de la ciudad va a encontrar numerosas casas solariegas, con sus escudos heráldicos, que nos hablan de su historia y de sus familias.

Por ejemplo, ésta de la derecha es la casa de los duques de Ahumada, fundador de la Guardia Civil, o ésta otra de la izquierda, que pertenece a la familia de los Hinojosas Bohórquez, casa con uno de los patios más bonitos de la ciudad de Ronda.

Seguimos por la calle de Sor Angela de la Cruz y salimos al PALACIO DE MONDRAGON.

Entre estas casas blancas hay una señorial, en piedra, por lo que se le denomina vulgarmente «Casa de piedra». Es un claro exponente de culturas, estilos y civilizaciones, que nos habla de la arquitectura civil de Ronda.

Este edificio que en sus orígenes fue construido por Abomelic, rey de Ronda a principios del siglo XIV (1314), ha sido sede de reyes y gobernantes. Desde ella gobernó Hamet el Zegrí a esta provincia bajo dominación nazarí.

De dicho período sólo quedan los cimientos y unos pasadizos subterráneos que comunican el jardín de la casa con la antigua alcazaba de Ronda. En sus muros se pueden ver perfectamente los cambios y restauraciones llevadas a cabo con el tiempo. Tiene dos torres de estilo mudéjar y una entrada renacentista, con un pórtico señorial, -recorrido por un poyo para facilitar la subida al caballo-, puerta de cuadras y un artesonado de estilo mudéjar en madera de cedro que nos recuerda la época del siglo de oro español.

En su interior, en la parte antigua, hay un patio llamado el patio árabe, que en realidad es mudéjar y nos muestra claramente las restauraciones que se han hecho sucesivamente en el palacio.

Arcos árabes, sobre decoración renacentista: viejos mosaicos árabes, restaurados con mosaicos del siglo XVI.

Fue muy restaurado a finales del siglo XVI por Melchor de Mondragón. Subiendo al primer piso, hay además de una gran cúpula con escudos de familias, el amplio salón con artesonado mudéjar, el mejor del palacio.

La casa fue ocupada por los Reyes Católicos en dos ocasiones. La primera por Don Fernando, en el 1485 con motivo de la conquista de Ronda y más tarde Isabel y Fernando en 1501, con motivo de la sublevación de los moriscos.

Pasó posteriormente a Don Fernando de Valenzuela, marqués de Villasierra favorito de Mariana de Austria, viuda de Felipe IV. Don Fernando de Valenzuela cayó en desgracia y fue deportado, muriendo humildemente en Méjico.

Dejamos Mondragón, y seguimos hasta llegar a la PLAZA DEL CAMPILLO, antigua PUERTA DE LOS MOLINOS, desde cuyos balcones, podemos ver el viejo camino que nos lleva a la muralla de la ciudad y a su puerta, llamada hoy día del Cristo. Fue puerta de acceso desde los molinos en el fondo del Tajo, al interior de la ciudad. Desde aquí vemos toda la garganta en su plenitud y en su parte más profunda, con el Asa de la Caldera al fondo, y una bella panorámica del Mercadillo.

Regresamos por la calle de José M.ª Holgado, y en la placita de San Juan Bosco, tenemos, a la derecha, una antigua casa solariega, con los escudos de la familia de los Moctezumas y Rojas. Esta es la casa construída por Don José Moctezuma y Rojas, nieto por línea recta masculina del gran emperador y rey de Méjico, su panteón está en la iglesia de Santo Domingo y hoy día se encuentran sus restos en la capilla del propio palacio.

Enfrente la CASA DEL GIGANTE, nombre dado por el pueblo por tener en su fachada la efigie de un hércules púnico descubierto en esta casa, cuya forma ciclópea le da aspecto de gigante.

Este edificio construído en el siglo XIV, es el ejemplo claro de una casa árabe de clase media.

En su interior tiene un patio central con aljibe, rodeado de columnas, con dos salas donde se pueden ver restos de decoración de ataurique en muros, arcos y enjutas, que nos recuerda la Alhambra de Granada, que fue construída durante el período de los nazaritas granadinos.

Ha sufrido diferentes restauraciones, pues ha tenido diferentes usos, como casa del corregidor Ruíz Gutiérrez de Escalante y más tarde, inclusa para niños abandonados.

Seguimos hacia abajo por la calle de San Juan de Letrán y llegamos a la plaza del Beato Fray Diego José de Cádiz.

En esta plaza están la casa donde murió el Beato Fray Diego José de Cádiz, el 24 de mayo de 1801, y la IGLESIA DE LA VIRGEN DE LA PAZ.

En esta iglesia se da culto a la Patrona de Ronda, la imagen más antigua de la ciudad, a la que ya en el siglo XVI, se daba culto en la ermita de San Juan de Letrán, hoy desaparecida.

La tradición remonta la imagen a la época de Alfonso XI, pero la imagen actual más bien parece de finales del siglo XVII.

El templo es de una sola nave y varios altares de finales del siglo XVIII.

Tiene un altar churrigueresco con un artístico camarín con pinturas murales, donde está la patrona y alcaldesa perpetua de la ciudad de Ronda, Nuestra Señora de la Paz.

A los pies de la Virgen una urna, en plata, con los restos del Beato Fray Diego.

En esta iglesia se veneran una imagen del Cristo de la Sangre, de principios del siglo XVIII del famoso imaginero sevillano Duque Cornejo, discípulo de Martínez Montañés, y una imagen del Ecce-Homo, de escuela granadina.

Regresamos a la calle Armiñán para volver de nuevo al puente, cruzamos el Tajo y la plaza de España y nos vamos a la Plaza de Toros. Si recuerda, aquí comenzamos la visita.

Amigo mío, aquí hay que pararse y antes de entrar en ella y de explicarle nada referente al edificio, hacerle saber que va a entrar en la PLAZA DE TOROS DE RONDA, santuario del toreo a pie.

Si nuestros ojos de católicos miran hacia San Pedro de Roma, y si los mahometanos miran hacia la Meca, los ojos de los aficionados taurinos de todo el mundo miran hacia este lugar.

Mire, por tanto, su entrada barroca, tan opuesta al estilo de nuestra escuela taurina que es clásica y sin barroquismo alguno, que de eso ya se encargan otras.

Cuando el pueblo andaluz se enrabia, baila

El Autor

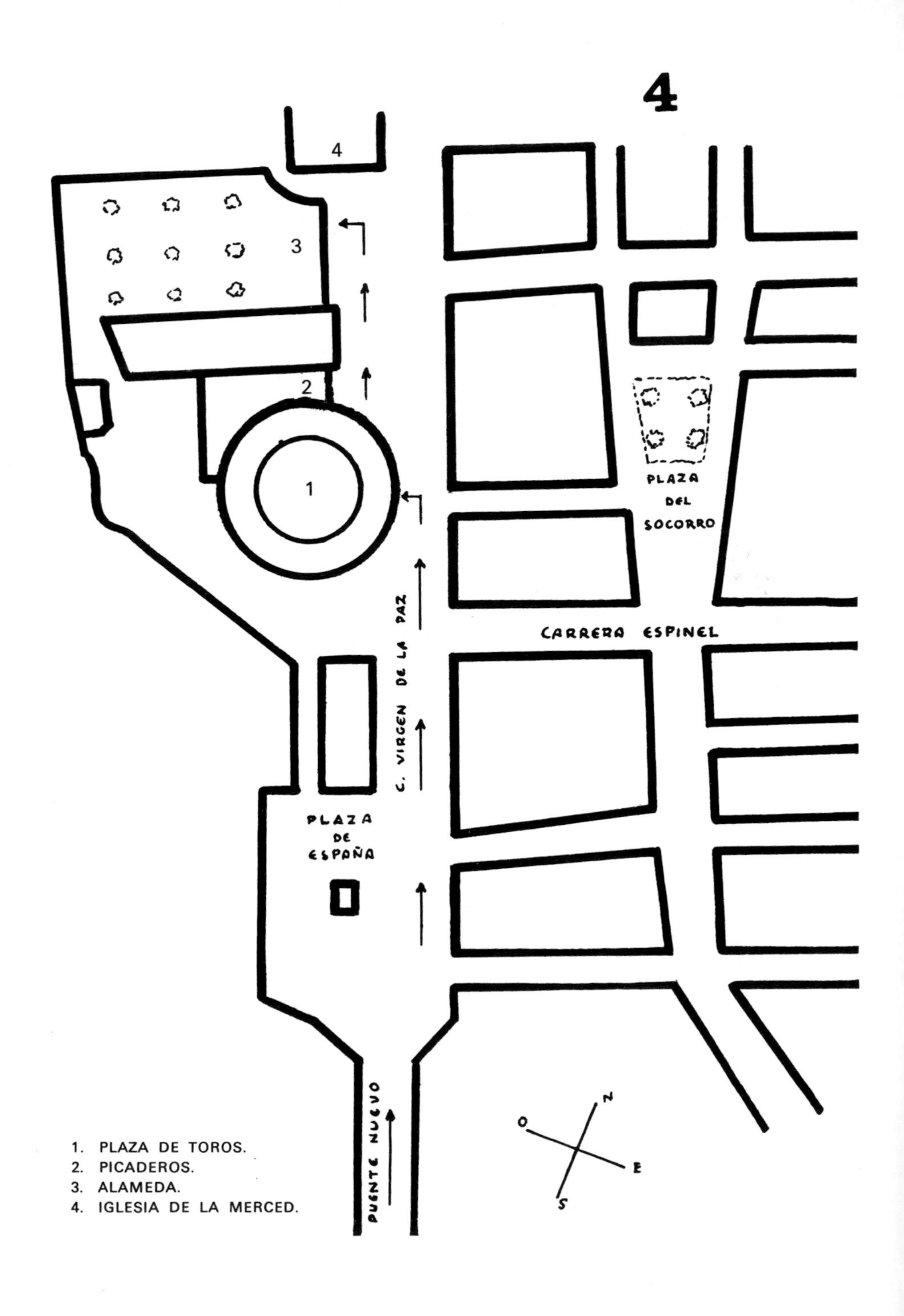
4
4
3
2
1
PLAZA DEL SOCORRO
CARRERA ESPINEL
C. VIRGEN DE LA PAZ
PLAZA DE ESPAÑA
PUENTE NUEVO
N
O
E
S
1. PLAZA DE TOROS.
2. PICADEROS.
3. ALAMEDA.
4. IGLESIA DE LA MERCED.

Tiene columnas toscanas soportando un frontón partido, con el escudo real en el centro y un balcón de forja rondeña con motivos taurinos.

Vamos a entrar para que Vd. vea la catedral del toreo en el mundo.

Antes de nada le diré que nuestra Plaza de Toros pertenece a la Real Maestranza de Caballería, la primera Real Maestranza de España, anterior a las de Sevilla, Granada, Valencia y Zaragoza.

Se fundó por una orden real de Felipe II en el año de 1572, aunque sus orígenes se remontan a los Reyes Católicos.

Esta Orden tenía encomendada la educación militar de la nobleza tanto en la monta de caballos, como en el uso de las armas, siempre con la idea de mantener en actividad a sus maestrantes, que en caso de ser requeridos debían estar prestos para marchar donde se les mandase.

Son innumerables los hechos y batallas acontecidos a nuestra Real Maestranza desde su fundación.

Pero dejemos a la Real Maestranza, que construyó este edificio más bien para su uso particular, que como coso taurino tal como nosotros lo entendemos hoy día. Pues bien, sabe Vd. que con anterioridad a la ejecución de este edificio los Maestrantes tenían sus alanceados de toros y festejos en la Plaza de Armas, como ya le expliqué a usted durante nuestra visita a la Ciudad.

La plaza se inauguró el 11 de mayo de 1784. Tiene el ruedo más ancho del mundo con 66 m. de diámetro y es la única con la barrera de piedra. La puerta de toriles, el palco presidencial y el palco real, están situados en un mismo lado del edificio, además es la única cubierta en su totalidad.

Tiene 176 columnas y cerca de 5.000 localidades.

En ella tiene lugar la tradicional corrida Goyesca, a la que vienen aficionados de todo el mundo para recibir una lección de lo que es el toreo rondeño, y de lo que es el buen hacer en el arte de los toros.

Esta corrida se hace en memoria de Pedro Romero, el que según todas las crónicas dió vida y fijó reglas de oro de la corrida moderna.

¿Usted sabe que Pedro Romero fue aquel maestro de quien la historia dice que mató cerca de 6.000 toros?

—Perdona ¿no te parecen muchos toros?

Amigo mío, ¿Vd. no sabe que además de ser casi 6.000, a los 6.000 los mató recibiendo?

Había nacido en Ronda en el 1755 y entró en la vida de los toros a la edad de ocho años. La dejó a los setenta y dos, y murió a los noventa años, sin haber sido nunca herido por asta de toro.

Fue director de la escuela sevillana y fundador de la rondeña.

Le he dicho que entró en los toros a la edad de ocho años; debí decirle que él nació siendo torero.

Escuche, a ver si no tengo razón.

Su abuelo, Don Francisco Romero, empezó como es sabido que ocurría en su época: que los hombres más valientes solían ponerse delante del toro con un sombrero en la mano, o un capote, pero como mero pasatiempo. El toreo de entonces, por llamarlo de alguna forma, era a caballo y a cargo de caballeros, o sea, alanceo y rejoneo de reses bravas a caballo por los maestrantes. Llegó a ser tan experto en este menester que empezó a enseñar, a capear y matar con reglas adquiridas por su propia experiencia e inventó la muleta para matar al toro cara a cara, poniéndose al frente de los aficionados en plan de cuadrilla.

Su padre Juan Romero, fue el que organizó la cuadrilla con picadores, banderilleros, etc., y murió a los 102 años.

Y él, ya sabe usted todo lo que hizo ¡Como para pensar que Pedro Romero nunca había escuchado hablar en su casa de los toros!

A la salida, el arco y puerta unidos al edificio es la entrada al Picadero de la plaza. Tiene el escudo real español, igual que la puerta principal.

Este picadero fue utilizado como corral de comedias antes de la creación del teatro Espinel, hoy demolido.

Ahora continuemos hacia la ALAMEDA O PARQUE.

A la derecha tenemos la IGLESIA DE LA MERCED y convento carmelita, fundado por la Orden de mercedarios en el siglo XVI. Hoy está ocupado por H.H. Carmelitas, que con su trabajo diario ponen al alcance del que lo desee productos típicos de repostería local, tortas rondeñas o pan casero de excelente calidad.

Entramos en nuestra ALAMEDA que es el jardín mas importante de la ciudad de Ronda.

Se construyó en la explanada Ejido del Mercadillo, delante del convento de la Merced terminándose sus obras en 1806.

En su ejecución no se empleó ni un céntimo del erario municipal, ya que

Calles y Plazas   Streets and Squares   Strade e Piazze   Rues et Places   Strassen und Plätzen

30

Plaza de Toros   Bullring   Arena

Les Arenes

Stierkampf Arena

Paco "El Herraó"

Ronda es Mujer Ronda is a Woman Ronda é una Donna Ronda est une Femme Ronda ist eine Frau

⇩ Patio de Santa Ana ⌃Marqués de Salvatierra - Jardines Puerta Felipe V y Mercadillo ⇨

⇧ Palacio de San Juan Bosco ⇩

¡Oh Ronda mía! ¡Oh desgraciada!
¿Porqué incauto salí por tu Puerta de Almocábar?

Oh Ronda mia! Oh, Disgraziata!
Perché incauto uscii dalla tua Porta di Almocábar?

¡Oh ma Ronda! Oh malheureuse.
¿Pourquoi, moi, imprudent, t'ai je quittée par ta porte d'almocabar?

Oh my beloved Ronda! Oh unhappy one!
Why dit I thoughtlessly has through your gate Almocabar?

⇧ Palacio de los Hinojosas Bohórquez ⇨

Oh, mein Ronda, Du Unglückliche,
warun verliess ich Dich so unbedacht durch Dein Almocabar-Tor?

se pagó la obra con las multas impuestas a todos aquellos que en la calle fueron obscenos y escandalosos.

El autor de esta idea ingeniosa y humorística fue el corregidor de ésta, en dicha época D. Vicente Cano.

La Alameda tenía varias cosas muy interesante en el paseo al borde del Tajo, como son la serie de bustos de toda la familia real de España. En su entrada había unas incripciones, que le reproduzco por curiosidad y que ya no existen, pues fueron quitadas durante la Primera República. Fueron recogidas por Don José Moreti y dicen así:

AL PUEBLO DISCRETO
Mi afán a tí te he dedicado
y desembolsos que he hecho
el que dure este proyecto
depende de tu cuidado.

AL PUEBLO MALICIOSO
¡Oh! no extrañes mi llorar
al verte sin patriotismo
y muy lleno de egoismo
esta obra criticar.

AL PUEBLO IGNORANTE
De tí río, majadero,
que sin saber criticar
sólo te oí murmurar
¡qué lástima de dinero!
Habiendo otra que decía así:
Se acabó
a nadie se gravó
ni dinero de propios se gastó
lo que costó
en los pobres se quedó.
En la calamidad de afligidos
or utilidad pública
fueron socorridos.

Ahora, si le parece bien, vamos al final del paseo para que pueda ver la parte más profunda del Tajo, que en este lado tiene 170 m. de altura.

¿Sabe cómo llaman a este balcón central? El balcón de la exclamación, pues todo aquél que llega dice una exclamación, la más típica del lugar de su origen.

—*¿Cuál es la más típica aquí en Ronda?*

Es C.....

Aquel edificio que ve en la ladera de la colina es el SANTUARIO DE LA VIRGEN DE LA CABEZA. Lo forman una ermita donde se venera la imagen de la Virgen de la Cabeza y una iglesia rupestre. En ésta vivieron unos ermitaños llamados solitarios, allá por el siglo XVIII.

La Hermandad de la Virgen de la Cabeza traía a su Virgen procesionalmente hasta la ciudad de Ronda, en una romería muy popular, que por suerte no ha desaparecido.

Es interesante ir a ese lugar pues además de la visita al Santuario, la panorámica de toda la ciudad de Ronda que se puede contemplar desde allí es realmente fascinadora.

Ahora que estamos en la alameda quiero enseñarle un pinsapo, pues aunque hemos visto varios durante nuestra visita, ya que los hay generalmente en nuestras plazas, aquí hay un buen ejemplar.

Como le dije antes, el pinsapar está en la sierra de las Nieves. En caso de que al regresar quiera ir a verlos, cuando esté en la carretera de San Pedro, en el km. 12, hay una indicación que dice «Rajete»; tómela hasta una finca llamada «La Nava», y desde allí puede ir andando y verlos. Allí encontrará algunos ejemplares muy interesantes y posiblemente si sube hasta la cima de la sierra de las Nieves, hasta el punto de la Torrecilla, que está a 1.919 m., podrá ver desde Málaga hasta Gibraltar, es decir, toda la Costa del Sol y además alguna cabra hispánica, saltando por sus picachos.

A su salida de Ronda, quiero que haga una parada en nuestro barrio de SAN FRANCISCO.

Le será muy fácil reconocer este sector, pues en el momento de cruzar las murallas, todas las casas blancas que verá a derecha e izquierda, se diferencian del resto de la ciudad de Ronda. Está usted en el Barrio de San Francisco.

Anteriormente le hablé de él, cuando le expliqué los orígenes del Mercadillo.

Nació siendo un pequeño mercado, cuando los vendedores a finales del siglo XV, se negaban a entrar en la ciudad de Ronda, para evitarse pagar los derechos y alcabalas con que contribuir a las arcas municipales.

Se construyeron algunas posadas y mesones para comerciantes y transeuntes, así comenzó un nuevo barrio que un poco más tarde, se convertiría en barrio de agricultores, pues la mayoría de los comerciantes decidieron abandonar la puerta principal de Ronda y situarse en la parte norte, a la salida de la puerta de la puente, hoy día de Felipe V.

Desde la explanada se pueden ver perfectamente la puerta principal de Ronda, PUERTA DE ALMOCABAR y las murallas que dividen el barrio de

...y el sonido de una guitarra es su alma
El Autor

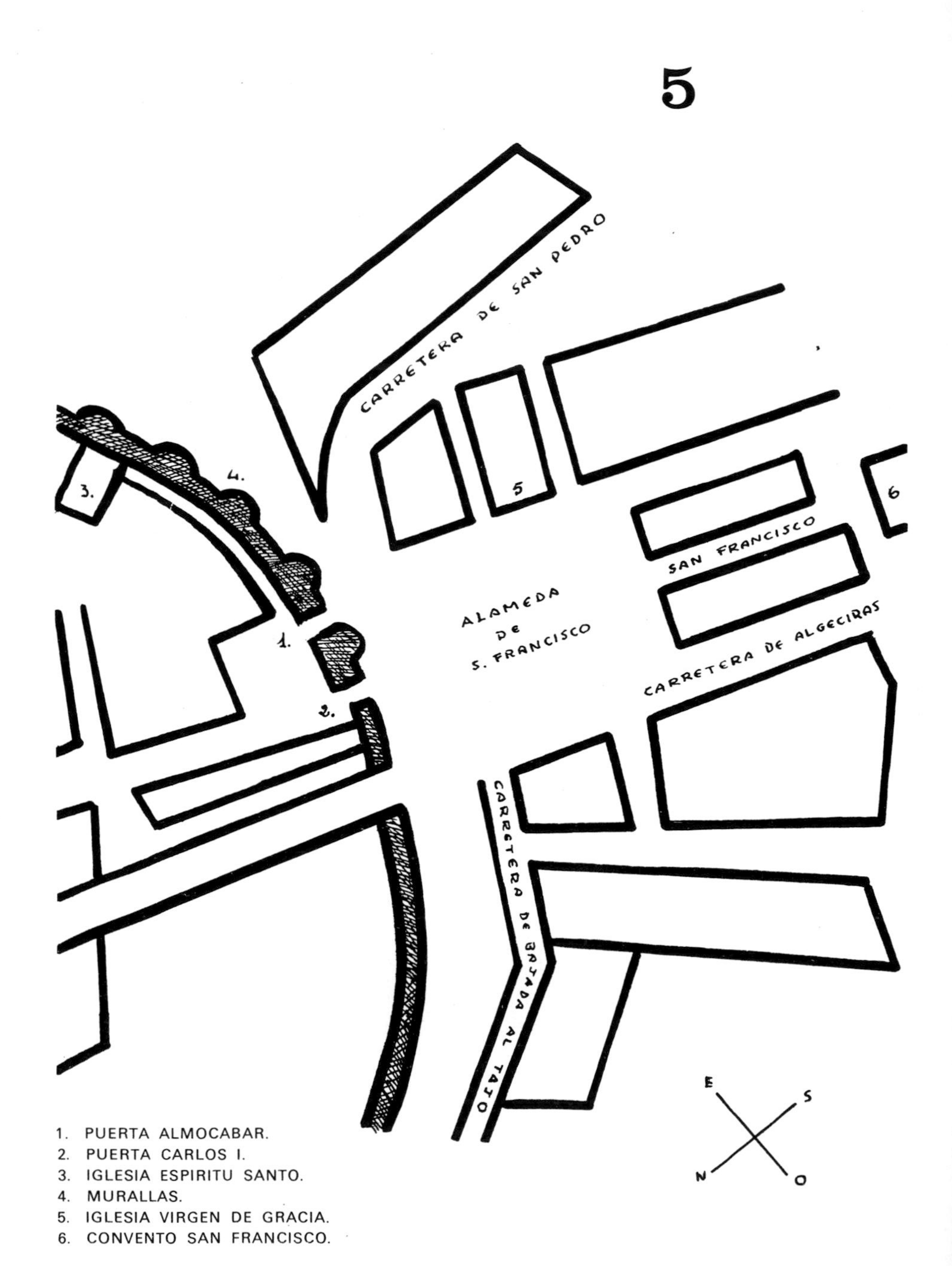

1. PUERTA ALMOCABAR.
2. PUERTA CARLOS I.
3. IGLESIA ESPIRITU SANTO.
4. MURALLAS.
5. IGLESIA VIRGEN DE GRACIA.
6. CONVENTO SAN FRANCISCO.

San Francisco en dos partes: la construida dentro del recinto amurallado y la exterior, de cuyos orígenes ya he hablado.

La puerta de Almocábar (Puerta del Cementerio) daba acceso a la alcazaba y ciudad, aunque tuviera una segunda puerta, ya desaparecida, llamada puerta de las Imágenes, de la que antes hablamos al visitar la Plaza de Armas.

Esta puerta construida en siglo XIII, consta de tres puertas, con arcos de herraduras entre dos torres semicirculares, que posiblemenete fueron las torres de la guardia. Sobre estas torres hay unas piedras redondas formando cruces, que fueron las utilizadas para la conquista de Ronda en el 1485. A la izquierda hay otra puerta, ya del siglo XVI, construída en tiempos de Carlos I.

Al fondo se pueden ver los restos de la ALCAZABA, donde está el colegio salesiano y a la derecha la IGLESIA DEL ESPIRITU SANTO.

Esta iglesia fue construida por orden de Fernando el Católico, sobre la ruinas de una torre octogonal almohade, que defendía este acceso natural de la ciudad y que fue destruida por las lombardas cristinas durante la lucha por la conquista de la ciudad.

Se consagró bajo la advocación del Espíritu Santo, pues Ronda se conquistó el 20 de mayo de 1485, día que coincidió ese año con la Pascua de Pentecosté.

Se advierte fácilmente que se construyó en épocas de guerra: es sobría y austera, como fuerte militar. Se concluyó en 1505, año de la muerte de la reina Isabel.

Consta de una sola nave con un gran púlpito, propio de la época, para que se pudiera ver y oir fácilmente al predicador.

La nave tiene 30 m. de largo, por 9 de ancho. Es de gran simplicidad y su estilo se asemeja al gótico isabelino, disimulado por algunas modificaciones realizadas posteriormente. Un altar principal barroco cubre el ábside central con una pintura, en su parte superior, de la venida del Espíritu Santo y, en el centro, una pintura sobre madera de la Virgen de la Antigua, en hermoso estilo bizantino.

Labrados en piedra sobre el altar principal, tres escudos. El mayor, en el centro, tiene el águila imperial de la Casa de Austria.

La torre del campanario fue construida posteriormente, igual que su puerta agrandada, sobre la que hay una hornacina con el Espíritu Santo en forma de paloma.

En la explanada existente ante la puerta de la Almocábar se puede ver la CAPILLA DE NUESTRA SEÑORA DE GRACIA, patrona de la Real Maestranza de Caballería.

Fue el primer templo de nueva planta construido en Ronda y se colocó en el centro de la explanada, con el nombre de iglesia de la Visitación. Fue trasladada posteriormente al lugar que ocupa hoy con el nombre de Virgen de Gracia.

Hallándose ya aquí sería interesante visitar el CONVENTO DE SAN FRANCISCO, a las afueras del barrio del mismo nombre, fundado por los Reyes Católicos, para conmemorar el lugar donde se situó el Real del monarca Fernando durante el asedio a la ciudad de Ronda.

Dañado durante la guerra de la Independencia, aún conserva una preciosa portada en estilo isabelino.

De dicha dominación francesa queda un emplazamiento construido por éstos que actualmente es zona educacional deportiva. Está situado en la parte norte y se le donomina «El Fuerte».

El gobernador francés de la ciudad lo mandó construir, emplazándole varios cañones y obuses dirigidos hacia la ciudad de Ronda, amenazando dispararlos sobre la misma si no cesaban las cuadrillas de la sierra de hostigar a la guarnición francesa de Ronda. Unidos a los serranos, los vecinos de la ciudad solían atacar de noche a los soldados franceses de la guarnición, haciéndoles la vida imposible.

Tan innumerables son las bellezas de la ciudad de Ronda, como innumerables son los nombres de los ilustres rondeños, que a lo largo de los siglos han paseado el nombre de su querida ciudad por todo el mundo, destacando unos en las letras y otros en las armas.

Enumerar sus nombres sería hacer una lista interminable e irrecordable para usted, por lo que, si me lo permite, sólo le haré referencia de algunos de ellos.

Don Vicente Espinel, ilustre rondeño, escritor: autor de la novela picaresca «Vida del escudero Marcos de Obregón», destacado poeta, creador de la Décima, que por el se llama Espinela, es uno de los mejores músicos de España de finales del siglo XVI.

Introdujo la quinta cuerda en la guitarra española, la llamada Prima, con la que dio, a la guitarra un carácter más popular.

Don Antonio de los Ríos y Rosas, ilustre tribuno y honrado político.

Llegó a ser diputado, ministro y presidente del Congreso en el 1862, y embajador ante la Santa Sede. Rehusó otros cargos importantes y títulos y los que ocupó los llevó con dignidad y honradez, combatiendo con gran elocuencia de tribuno a cuantos veía que mal llevaban las riendas del gobierno.

Don Francisco Giner de los Ríos (1839-1915), sobrino de Don Antonio de los Ríos y Rosas, se le puede considerar como maestro del intelectualismo liberal y laico y creador de la Institución Libre de Enseñanza.

Bajo la influencia de sus instituciones se formaron: Valle-Inclán, Azorín, Baroja, Antonio y Manuel Machado, Juan Ramón Jiménez, Ortega y Gasset, Pérez de Ayala, Marañón, Azaña, García Lorca, Dalí, Buñuel, Guillén y otros.

Don Fernando de los Ríos (1879-1949), sobrino y discípulo de Don Francisco Giner de los Ríos, fue ministro de instrución pública, de justicia y de estado de la Segunda Repùblica y embajador en los EE.UU. durante la guerra civil.

Don Joaquín Peinado (1898-1975), se le puede considerar como el mejor pintor nacido en esta ciudad.

Habiendo ejercido la docencia en la Escuela de Bellas Artes de Málaga, marchó posteriormente a Francia, donde su genialidad, en la pintura, le hizo sobresalir en la Escuela de París.

Fue íntimo amigo de Picasso.

—Y ¿qué me dice usted de esos rondeños que han triunfado en el arte del toreo?

Mire usted, estos señores no sólo han triunfado, han dado gloria a la fiesta creando escuela en el difícil arte del buen toreo. Porque ¿qué me dice usted de la dinastía de los Romeros que dieron vida a la corrida de a pie? ¿O de la dinastía de los Ordóñez, que ha llevado al mundo entero lo que es torear de verdad?

No sigamos, porque nos haríamos interminables. En las letras, en las artes, en la política, en el folklore, en casi todas las manifestaciones culturales, Ronda cuenta con gran número de hombres cuya fama es lógico complemento que la grandeza del hombre pone a la grandeza de la naturaleza creadora del gigantesco asentamiento de esta Ciudad.

Además, amigo mío, tengo que decirle, que no crea que yo le he enseñado todo lo que merece verse en mi querida ciudad. Para eso sería necesario mucho más tiempo, cosa que dice usted no tener.

Pero vuelva y complete esta visita, como si se tratara de un sueño incompleto.

Podría enumerarle tantos recoletos rincones y lugares que se nos han quedado por ver, que serían interminables; pero, cuando usted vuelva, desde luego tiene que visitar el Templete de la Virgen de los Dolores.

Construído en tiempo de Fernando VI, allá por el año 1734, está situado en el lugar donde se ejecutaba a los condenados a muerte y finalmente donde éstos decían sus últimos rezos o plegarias, antes de pasar a mejor vida. Es un bello ejemplo de Manierismo del siglo XVIII.

Barroco, con una imagen de la Virgen de los Dolores y unos escudos de la corona, en piedra, sus columnas las forman figuras, también de piedra, que representan ahorcados con los rostros desfigurados o endemoniados, con las caras y cuerpos deformados.

No muy lejos de allí, tiene usted la Posada de las Animas, hoy Hogar del Pensionista; aunque restaurado, se remonta allá al 1500. Su nombre tan peculiar tiene su origen en la puerta de entrada donde unas tibias y calaveras, simbolizan el fin de esta vida. Además, de un cuadro que reproduce a la Virgen sacando ánimas del Purgatorio. Antigua posada tanto para arrieros como para caballleros de paso por ésta, tuvo el honor de hospedar al gran escritor Don Miguel de Cervantes y Saavedra, además de otros muchos personajes importantes, venidos de toda España. En ella se encontró tan ilustre escritor con el no menos ilustre escritor y rondeño Don Vicente Espinel.

—Amigo mío, creo que me estás convenciendo para, que posponga mi partida.

No señor, no le convenzo, sólo trato de hacerle ver todo lo que se nos ha quedado en el tintero.

—Pero bueno, me he dado cuenta que sólo hablas de hijos ilustres, de monumentos, de hechos renombrados y ¿el pueblo llano? y ¿las mujeres rondeñas?

Tiene usted razón, pero, hombre, ¡como tiene tanta prisa!

El pueblo llano, señor, es el ejecutor de tanta esplendidez, en nuestra querida ciudad de Ronda; y de las mujeres rondeñas, me arrepiento de no haberle hablado de ellas antes.

La mujer rondeña es, en general, mujer virtuosa, religiosa y llena de buenas cualidades y siempre estuvo junto al hombre en los hechos trascendentales de nuestra ciudad. En contestación a sus dos preguntas, le digo que el pueblo llano también dio mujeres que, por una u otra circunstancia, repercutieron en los azares de nuestra historia.

Habrá oído hablar de «Carmen la de Ronda», esa mujer legendaria en cuya vida está basada la ópera «Carmen» de Bizet.

Durante la guerra de la Independencia, esta mujer que estuvo mal vista por el pueblo, pues desconocían su labor, tuvo una gran repercusión en la resistencia a la ocupación francesa, en sus movimientos y hechos. Fue la que puso en aviso de la dinamitación de la Alcazaba por los franceses, y gracias a ella se pudo salvar parte de ésta, así como evitar males mayores para la población de la ciudad.

Pero sigamos con el pueblo llano y hablaremos de una mujer a la cual todo el mundo recuerda con gran cariño Ana Amaya Molina «Aniya la Gitana», que nació en Ronda, el 27 de septiembre de 1855, «gran cantaora y bailaora», dicen que cuando Aniya cantaba y tocaba se acababa el mundo.

Tía-abuela de la extraordinaria artista Carmen Anaya, que aprendió de ella muchos cantes rondeños.

Cantó y tocó, por toda España, en los mejores locales y junto a los mejores cantaores de la época. La reina Victoria Eugenia, le obsequió con un mantón de Manila, después de actuar en una fiesta íntima para la familia real.

Querida y respetada por todos, conoció artistas y poetas y desde García Lorca a Manuel de Falla, todos tuvieron en sus labios el nombre de «Aniya la Gitana», como figura sillar de los grandes cantes y cantes serranos.

Pero también otros fueron culpables de hechos no tan meritorios, porque de todo tiene que haber en la viña del Señor.

Mire, le voy a relatar la historia de un rondeño, un poco legendario, cuya mujer fue la culpable de que su vida acabara fuera de la ley y del orden.

Este hombre era José Ulloa «Tragabuches», miembro de la cuadrilla de Pedro Romero y, por cierto, muy diestro en el arte del toreo rondeño.

Este hombre, estaba casado con un gitana de Ronda, llamada «La Nena», bailaora, por la cual tenía delirios. Un día, cuando la guerra de la Independencia hubo terminado, en Málaga se organizaron unos festejos taurinos para celebrar la llegada a España de Fernando VII «El Deseado», y se requirieron sus servicios como segundo espada. Cerca del pueblo de El Burgo, se cayó del caballo, viniéndose a romper un brazo. Visto que en tal circunstancia no podía seguir, decidió volverse a Ronda. Llegado a ella, y ya entrada la noche, encontró a su mujer un poco nerviosa e inquieta. Entrando nuestro amigo en sospecha, empezó a buscar por toda la casa hasta encontrar en una tinaja al sacristán de la parroquia inmediata. Acabó con la vida de ambos y huyó a la sierra.

Poco más tarde, apareció como uno de los miembros de la famosa partida de los «Siete Niños de Ecija», y aunque esta partida llegó a caer en manos de la justicia, «Tragabuches» siguió en la sierra hasta que desapareció con el tiempo, sin dejar rastro.

Lo que sí dejó tras de sí fue una cancioncilla, que siempre fue cantada por la gente de la sierra y que decía así:

Una mujer fue la causa de
mi perdición primera.
No hay perdición de los hombres
que de mujeres no venga.

—Dígame, con referencia a los bandoleros, ¿tiene que haber muchas historias referentes a ellos?

Muchas y amenas que le pueden dar una idea más clara de la situación de nuestra serranía en aquella época y sobre todo del carácter de los serranos. Pero, amigo, como usted tiene prisa y como piensa volver, porque todo el mundo vuelve a Ronda, yo le prometo seguir hablándoles de ellos y, desde luego seguir disfrutando de su compañía.

La tarde tiene usted que emplearla en ver ACINIPO y la CUEVA DE LA PILETA.

Para visitar ambas tiene que tomar la carretera de Sevilla. A unos 5 km. de Ronda, encontrará un cruce que le llevará a ACINIPO (Ronda la Vieja), pero si continúa por la misma carretera de Sevilla, a unos 12 km. a la izquierda, verá la indicación hacia la CUEVA DE LA PILETA; o bien a la salida de Ronda, por esta misma carretera, tiene el cruce a Benaoján, tómelo y llegará enseguida a la cueva.

La carretera a Ronda la Vieja le lleva hasta ACINIPO; si continúa por ella le llevará al maravilloso pueblo de Setenil de las Bodegas.

Acinipo, está situado a 800 m. sobre el nivel del mar, en el corazón de la Andalucía romana. Plinio y Ptolomeo la situaron en la región celta de Beturia, llegando a ser municipio con poderes para acuñar monedas, hasta su destrucción en el 429, por los vándalos.

El tiempo ha sido mucho más generoso que los vándalos, pues nos ha conservado con orgullo las ruinas de su teatro.

Cuando llegue podrá admirar, ya desde la carretera, la pared del escenario construido con grandes piedras. Más cerca, viéndolo desde las gradas, verá que tiene tres puertas y sobre ellas tres nichos para colocar alguna estatua de dioses o de tribunos.

Recientemente han sido descubiertas las habitaciones usadas por los actores, el lugar para los músicos, el escenario y el espacio entre el escenario y el auditorio. Aquí podrá ver restos de grandes losas de mármol rojo que cubrían el suelo del teatro.

También han sido descubiertas sus gradas. Podrá observar que la mayoría de ellas están labradas en la piedra, como los teatros griegos, utilizando el desnivel del terreno, unas escaleras en piedra dan acceso de subida y bajada a los últimos lugares de las mismas.

La panorámica es maravillosa y alrededor del teatro verá aún piedras, ladrillos y restos de casas y edificios que le harán comprender el bárbaro grado de destrucción a que fue sometida la ciudad. Pero sobre todo, en la entrada, encontrará unos importantísimos yacimientos correspondientes a su anterior asentamiento ibérico.

Unas piedras verticales le muestran hoy los límites originales de dicha ciudad.

Finalmente, vuelva a la carretera de Sevilla y sígala hasta que vea la indicación que le dejará en la misma puerta de la CUEVA DE LA PILETA.

Tendrá que pasar por pueblos tan pintorescos, que más que pueblos parecen puntos blancos en medio de la serranía. Estos pueblos son Montejaque y Benaoján, pueblos de origen árabe, laboriosos, bonitos, limpios, amigables y orgullosos de su tierra, como ningún otro de España.

Si hace una parada en cualquiera de ellos, podrá visitar alguna de las muchas fábricas que elaboran los productos del cerdo, que tanta fama y tan bien ganada fama, dan a nuestra serranía. Verá además, cómo los vecinos cuidan y mantienen limpios sus pueblos, como verdaderas joyas que son.

En nuestra serranía, tenemos numerosas cuevas de extraordinario valor desde el punto de vista espeleológico e histórico. Además de la Cueva de la Pileta, debemos mencionar la existente cerca de la estación de ferrocarril de Benaoján-Montejaque, llamada CUEVA DEL GATO, aún hoy sin descubrir totalmente y donde hace unos años un espeleólogo valenciano perdió la vida.

La CUEVA DE LA PILETA, fue descubierta en 1905 por Don José Bullón Lobato. Más tarde en 1911 fue visitada por el coronel inglés Mr. Vernet que, a través de varias publicaciones en la prensa inglesa, la dió a conocer al mundo. Seguidamente estudiaron y hablaron de su valor prehistórico los expertos Sres. Breuil y Obermaier.

Fue declarada monumento nacional en 1924.

Cuando la visite sentirá el placer inmenso de ver dónde la belleza de la naturaleza armoniza con la belleza creada por el hombre que vivió allí durante miles de años.

A través de majestuosas habitaciones o estrechos pasajes y galerías encontrará las fabulosas figuras creadas por la naturaleza en juego con las estalactitas o estalagmitas. Encontrará la sala de los murciélagos, de las serpientes, del castillo, de la reina mora, de la catedral, de la mujer muerta, del pez, de la cascada, de la gran sima, del órgano, el santuario, etc.

Se han encontrado numerosos restos de cerámica y utensilios del paelolítico y del neolítico, algunos podrá verlos en la cueva; otros están en museos, repartidos por toda España. Verá el esqueleto de una joven que con el tiempo ha quedado petrificado.

Además, podrá admirar pinturas rupestres de incalculable valor en ocre, amarillo o negro, datando algunas de éstas en rojo o amarillo, de unos 15.000 años.

Hay además numerosos signos y diagramas de claro sentir mágico-religioso.

Pero de este panteón de la prehistoria quiero resaltar la sala del santuario y la sala del pez.

La sala del santuario es el lugar más destacado de la caverna, por la perfección de sus pinturas. Aparte de dos figuras humanas y múltiples signos, existen catorce representaciones paleolíticas del solutrense, donde la yegua preñada es la más representativa; no menos importante es la sala del pez, la más espectacular para todo aquel que la visita. Es amplia, con muchos signos esquemáticos negros del neolítico, pero donde se encuentra el dibujo más emblemático de la cueva «el pez» de 150 cm. de largo y 80 cm. de ancho. Está en negro, pintado con carbón vegetal y es la pintura paleolítica más significativa de este santuario de la prehistoria; dentro de su contorno está el dibujo de la foca y en su entorno, numerosas representaciones de animales.

Después de andar kms. en el interior de la cueva saldrá, contemplará el paisaje que le rodea y pensará cuán sabia es la naturaleza y qué grande la mano de Dios, que concentró tanta belleza en tan pocos kilómetros de nuestra serranía.

Aunque antes de partir quiero hacerle ver que personas como usted, viajeros, visitantes, escritores, pintores y espíritus sensibles, fueron los que alardearon y divulgaron por todos los rincones del mundo el haber conocido y visitado uno de los lugares más agraciados por la naturaleza y la historia, donde su observación y encuentro abre rostros de serenidad y exclamaciones de asombro y sosiego.

Así, amigo mío, sería larga, bien larga, la lista de nombres de personajes que habiendo conocido a la «Bella Tapada», no le hayan dedicado, al menos, un pensamiento, un piropo o unas bellas palabras, pero mencionemos algunos que sirvan de aldaba: Juan Ramón Jiménez, dice «Ronda, alta y honda, rotunda, profunda, redonda y alta», Antonio Gala que «como un aire furtivo», la llama; Rafael Alberti, que le dedica «Chuflillas del Niño de la Palma», Eugenio D'Ors en sus «Motivos de Andalucía» que descubre que para visitarla, «El Cicerone Mudo; Federico García Lorca, en su «Mariana Pineda», IV escena, estampa I; Gerardo Diego, «Plaza de Ronda»; Dionisio Ridruejo, «Paseo por la tarde»; José M.ª Pemán, «Ronda y el Poeta». Y los no menos personajes del mundo, como James Joyce, que nos dedica el final de su obra maestra «Ulisses»; Prospere Merimée que con una rondeña, crea un mito: «Carmen»; el sueño de un espíritu, Reiner M.ª Rilke, «Trilogía Española» o «Espitolario»; Ernest Hemingway, que en todo lo que escribió sobre España le encontramos un pensamiento para su querida ciudad. v.g. «Muerte en la tarde»; Richard Ford, Reniero Dozy, David Robert, Gustavo Doré, etc... y un último recuerdo para aquel polifacético personaje que decidió, después de rodar y conocer el mundo, que sus cenizas fueran depositadas en el lugar donde la belleza es naturaleza, Orson Wells.

Aquí, señor, termina la visita. Buenos días y buen viaje.

⇧ Cayetano Ordóñez "Niño de la Palma". Ernest Hemingway y Antonio Ordóñez. 1959. Foto Miguel Martín

⇧ Orson Wells y Antonio Ordóñez - 1964 Foto Salvador Ordóñez "Cuso"

EPILOGO

Al terminar esta nueva obra, donde mantengo diálogos y textos de mi anterior libro, porque dicen que el éxito del mismo estuvo en su familiaridad, me encuentro que he dejado vacíos y lagunas, que me hieren en los más hondo.

Cuando releo mis manuscristos, y cuanto más los releo, más siento la necesidad de romperlos y volver a empezar, pero me pregunto ¿Quién me va a leer si profundizo? ¿Cómo voy a llegar a esos cientos de miles de visitantes que descubren cada día la ciudad de Ronda? ¿Dónde podría obtener la ayuda que conllevaría una publicación en profundidad? y...

Vivimos en una sociedad de tiempo limitado, aunque el tiempo es eterno, en la que la comodidad viene dirigida por intereses ajenos a la realidad, y en la que nos vemos dirigidos y manipulados por hilos con miras diferentes al sentido racional.

Sólo espero, que aquél que tenga el libro en sus manos lo utilice para descubrir a la «Bella Tapada»; que le sirva de introducción, pero que su sensibilidad y su grandeza de espíritu le haga descubrir la «Ciudad de los Encantos»; que vaya con los ojos abiertos y que la luz de su Ensueño no le ciegue como a tantos rondeños; que ésta pequeña obra, hecha con tanto amor y sufrimiento, sirva para saber que Dios fue pródigo, y también ajeno, con la «Ciudad Soñada» con la «Ciudad de los Sueños», en donde «El Cicerone Mudo» te incite a llegar a conocerla en profundidad, a contactar con sus rincones y sombras, sus puertas y rejas, con sus calles y plazas, porque almas sensibles, caminantes de otros caminos de Ronda, dejarán descansar sus cansados cuerpos a la sombra del Wadi-al-laban y de su historia.

EL AUTOR.

INDICE

Palacio Mondragón

Palacio Mondragón
Patio siglo XVIII

⇧ Patio Mudéjar - Palacio Mondragón - Patio siglo XVIII ⇩

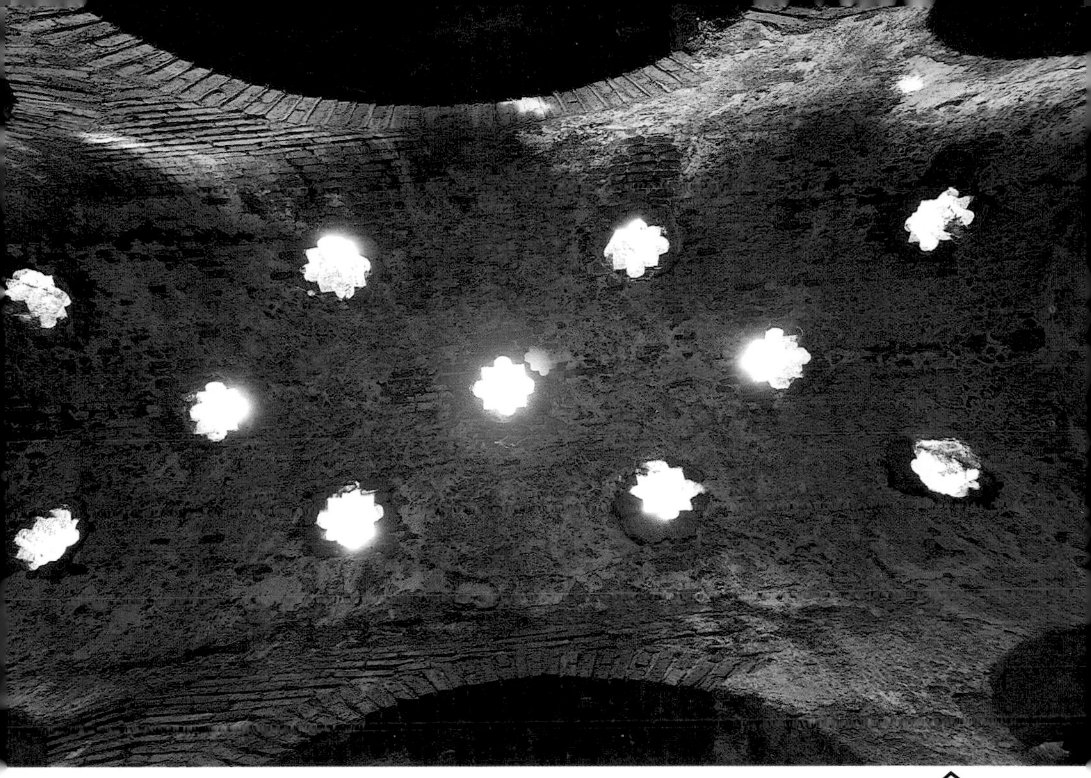

Baños Arabes - Arabien Baths - Bagni Arabi - Bains Arabes- Dampfbäder

Vistas aéreas. Aerial views. Vues aeriennes. Vedute Aeree. Luftaussichten

⇧ Baños Arabes

⇩ Cueva de la Pileta

Puerta de la Exijara

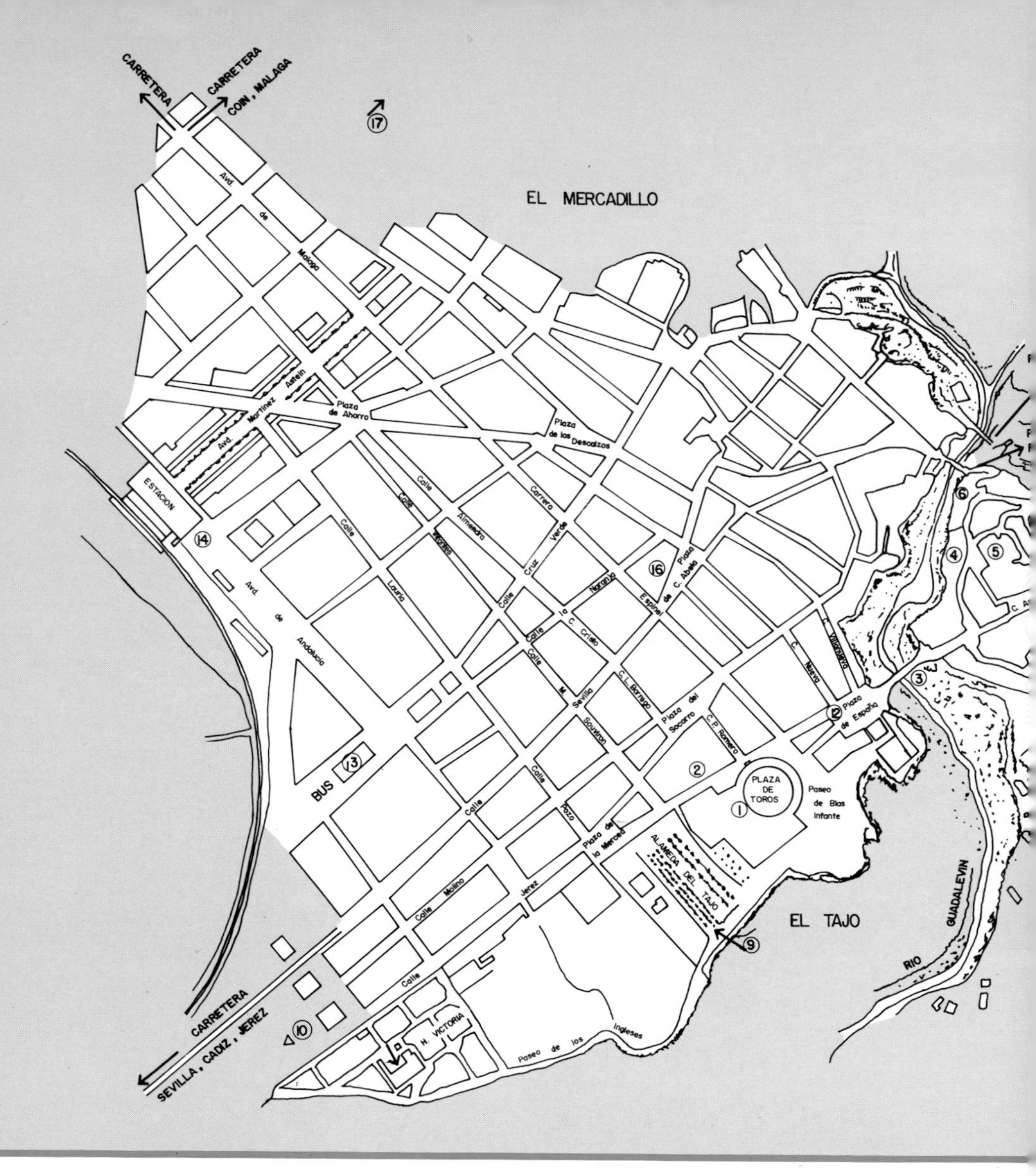

1 PLAZA DE TOROS
2 CORREOS
3 PUENTE NUEVO
4 CASA DEL REY MORO
5 MARQUES DE SALVATIERRA
6 BAÑOS ARABES Y PUENTES
7 SANTA MARIA
8 MURALLAS Y PUERTA ALMOCABAR
9 ALAMEDA DEL TAJO
10 CUEVA DE LA PILETA
11 VIRGEN DE LA CABEZA
12 OFICINA DE TURISMO
13 TERMINAL BUS
14 RENFE
15 AYUNTAMIENTO
16 TAXIS
17 HOSPITAL
18 MINARETE DE SAN SEBASTIAN
19 IGLESIA DEL ESPIRITU SANTO
20 PALACIO DE MONDRAGON

1 LES ARÈNES
2 POSTE
3 PONT NEUF
4 MAISON DU ROI MAURE
5 PALAIS DU MARQUIS DE SALVATIERRA
6 BAINS ARABES ET PONT
7 EGLISE DE SANTA MARIA
8 PORTE DE ALMOCABAR
9 LE JARDIN "LA ALAMEDA"
10 GROTTE "LA PILETA"
11 SANCTUAIRE "VIRGEN DE LA CABEZA"
12 OFFICE D'INFORMATION
13 TERMINAL BUS
14 RENFE
15 HÔTEL DE VILLE
16 TAXIS
17 HOSPITAL
18 MINARET DE SAN SEBASTIAN
19 EGLISE DE SAINT ESPRIT
20 PALAIS DE MONDRAGON

1 BULL RING
2 POST OFF
3 NEW BRID
4 HOUSE OF
5 HOUSE OF
6 ARAB BAT
7 SANTA MA
8 ALMOCAB
9 GARDENS
10 CAVE "LA
11 VIRGEN DE
12 TOURIST
13 TERMINAL
14 RENFE
15 CITY HALL
16 TAXIS
17 HOSPITAL
18 MINARET
19 HOLY SPIR
20 MONDRAG

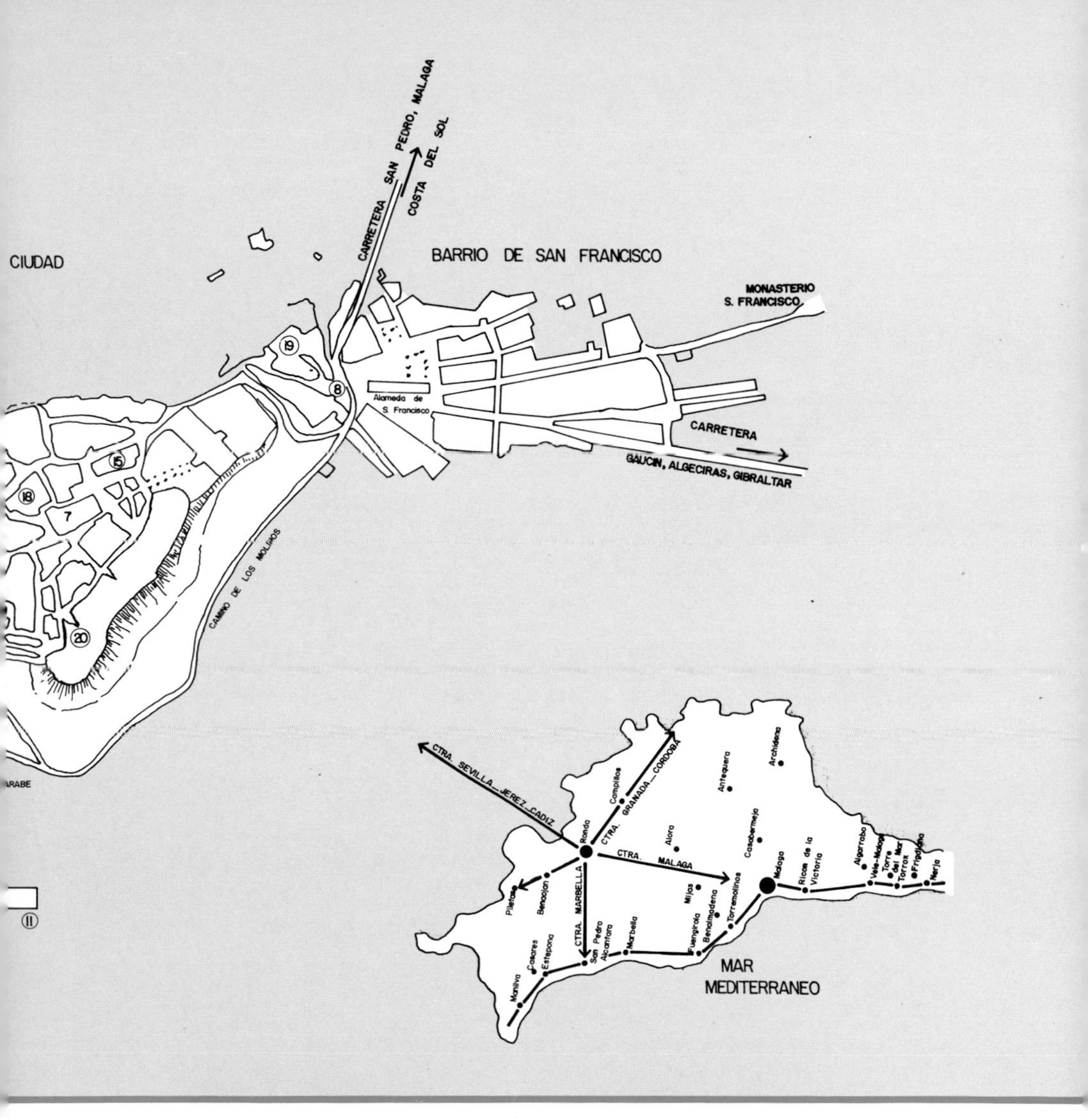

RISH KING
QUIS DE SALVATIERRA
IDGES
CH
ZA CHAPEL
BASTIAN
H
E

1 STIERKAMPFARENA
2 POST
3 NEUE BRÜCKE
4 HAUS DES MAURISCHEN KÖNIGS
5 PALAST DER GRAFEN V. SALVATIERRA
6 ARABISCHE BÄDER
7 KIRCHE SANTA MARIA
8 TOR ALMOCABAR
9 PARK "ALAMEDA"
10 PILETA HÖHLE
11 KAPELLE VIRGEN DE LA CABEZA
12 FREMDENNERKEHRSBUEROS
13 TERMINAL BUS
14 RENFE
15 RATHAUS
16 TAXIS
17 HOSPITAL
18 SAN SEBASTIAN MINARETT
19 HEILIG GEIST KIRCHE
20 MONDRAGON PALAST

1 ARENA
2 POSTA
3 PONTE NUOVO
4 CASA DEL RE MORO
5 PALAZZO DEL MARCHESE DI SALVATIERRA
6 BAGNI ARABI
7 CHIESA DI SANTA MARIA
8 PORTA DI ALMOCABAR
9 L'ALAMEDA O PARCO
10 GROTTA DELLA PILETA
11 SANTUARIO MADONNA DELLA CABEZA
12 UFFICIO DE TURISMO
13 TERMINAL BUS
14 RENFE
15 MUNICIPIO
16 TAXIS
17 OSPEDALE
18 MINARETO DI S. SEBASTIANO
19 CHIESA SANTO SPIRITO
20 PALAZZO DI MONDRAGON

Serranía de Ronda. Benadalid